THE VENTILATOR BOOK

한글판

Second Edition

옮김 박명재
경희대병원 호흡기내과

William Owens, MD

The Ventilator Book 한글판

둘째판 1쇄 인쇄 | 2020년 12월 22일
둘째판 1쇄 발행 | 2021년 1월 1일
둘째판 2쇄 발행 | 2022년 1월 19일
둘째판 3쇄 발행 | 2024년 1월 23일

지 은 이 William Owens
옮 긴 이 박명재
발 행 인 장주연
출 판 기 획 김도성
편집디자인 조원배
표지디자인 김재욱
제 작 담 당 황인우
발 행 처 군자출판사(주)
등록 제4-139호(1991. 6. 24)
본사 (10881) **파주출판단지** 경기도 파주시 회동길 338(서패동 474-1)
전화 (031) 943-1888 팩스 (031) 955-9545
홈페이지 | www.koonja.co.kr

ISBN 979-11-5955-628-9
정가 20,000원

THE VENTILATOR BOOK

한글판

내 가장 친한 친구이자 아내인 로리엔과

윌리엄, 잭, 그리고 아멜리아,

내가 갖기를 희망할 수 있는 최고의 아이들에게.

목차 CONTENTS

서론 Introduction

자 여러분은 새벽 3시 30분 중환자실에서 근무 중이다. 방금 전 응급실을 통해 급성발열, 강직 및 호흡곤란 증상을 보이는 청년이 중환자실로 입원하였다. 응급실에서 기관삽관을 시행한 후 연결한 인공호흡기는 신경이 예민해질 정도의 빈도로 경고음을 내고 있다. 환자의 흉부X선 사진은 심한 미만성폐침윤(diffuse infiltrates)과 경화(consolidations)소견이 관찰되었다. 환자가 중환자실에 도착 한 후 고민하고 있는 당신에게 중환자실간호사가 "선생님, 이 환자의 인공호흡기 설정은 어떻게 할까요?"라고 묻는다.

이 같은 이야기는 많은 시간을 중환자실에서 보내고 있는 우리 같은 사람들에겐 익숙하며, 거의 모든 전공의들도 수련 중 적어도 한두 번씩은 경험했을 것이다. 기계환기 때문에 두렵고 또 겁먹었을 수 있는데 그 이유는 기계환기에서만 쓰이는 용어가 있어서 이 모든 것을 이해하기 어려우며 또 생명유지기술인 인공호흡기를 잘못 설정하면 심각한 결과를 초래할 수도 있기 때문이다. 더구나 중환자전문의들은 인공호흡기의 작동법에 대해 난해하게 설명하는 경향이 있다. 이 때문에 매우 똑똑한 전공의나 의대생들도 종종 혼란에 빠질 수 있다.

설상가상으로, 항상 바쁜 의사들에게는 인공호흡기 설정법에 대한 간단한 지침 정도가 필요한데 이 같은 실용적 참고서는 많지 않다. 그러나 내 말에 오해하지 말기 바란다. 물론 기계환기에 대한 훌륭한 교과서들은 많이 있다. 그리고 시간이 있다면 읽을 가치도 충분히 있다. 그러나 중요한 것은 "시간"이다. 오후 반나절 도서관을 잘 활용하는 방법으로 압력조절환기(pressure control ventilation)의 장, 단점에 관한 백여페이지가 넘는 설명을 읽어볼 수 있겠지만 바쁜 중환자실에서 환자들을 돌보면서 그렇게 한다는 것은 전적으로 비현실적이다. 필요한 것은 "어떻게 해야 하나?"에 대한 안내서이며, 이것이 내가 이 책을 쓴 이유이다. 나 혼자서 이 책 전부를 썼기 때문에 이 책에는 어떤 편향성(biased)이 있을 수 있다. 이같은 편향성이 많지 않기를 기대한다. 그러나 나는 이 책에 정리된 나의 접근법이 100% 객관적이고 사실에 근거한다고 이야기할 정도로 망상 속에 빠져있지는 않다. 의학계에 속한 다른 모든 의사들과 마찬가지로 나의 진료형태 또한 개인적인 증례와 경험을 통해 형성되었기 때문이다.

이 사용자 설명서의 첫 번째 부분은 인공호흡기 설정에 대해 신속하고 올바른 결정을 내릴 수 있도록 기술하였다. 그리고 분류한 각각의 임상상황에 대해 각각의 접근방법을 제안하였다. 이것은 그때그때 상황을 봐 가며 적용할 수 있는 그 어떤 것이다. 첫 번째 부분은 기계환기의 '십일계명'과 함께 끝난다.

이 책의 두 번째 부분은 여러분에게 기계환기에 대해 설명하였다. 이 장들은 짧아서 각각 15-20분 안에 쉽게 읽을 수 있다. 여기에서 중환자전문의의 언어를 배우고 왜 이와 같은 것들이 작용하는지, 또 중환자전문의들이 왜 그렇게 일하는지에 대한 이론적 근거를 이해해야 한다.

이 책이 비록 중요한 조언으로 가득 차 있지만 그 어떤 것도 각각의 환자에게 적절한 개별화된 치료가 아닐 수 있다는 점은 이쯤에서 지적해야 할 필요가 있다. 여러분들은 여러분의 선생님들에게서 '환자 치료가 늘 교과서와 같지는 않다'라고 말씀하시는 것을 들어 본적이 있을 것이다. 그렇다. 모든 환자에게는 환자 개인별로 개별화된 치료법이 필요하다. 여러분들이 믿든지 안믿든지 관계 없지만 나의 변호사가 내게 이런 변명 같이 들리는 말을 쓰라고는 하지 않았다. 왜냐하면 환자에게 개별적인 치료법을 적용하는 것은 상식에 속하는 것이기 때문이다.

기계환기의 철학 Philosophy of Mechanical Ventilation

"The art of medicine consists of amusing the patient while nature cures the disease," -Voltaire

의학의 본분은 자연치유가 일어나는 동안 환자를 즐겁게 해주는데 있다.

— 볼테르

기계환기는 멋진 도구이다. 현대 중환자의학의 탄생은 소아마비 대유행기였던 1952년 코펜하겐에서 비욘 입센(Bjørn Ibsen)이 철의폐(iron lung, 음압인공호흡기)가 고장 났을 때 양압환기법을 이용해 생명을 구할 수 있다는 것을 발견했던 때로부터 시작되었다. 내과계중환자실에 입원하는 가장 흔한 이유는 기계환기 치료의 필요성 때문이다. 기관삽관과 양압환기의 조합은 수백만 명은 아니더라도 수십만 명 이상의 생명을 구했을 가능성이 높다.

마찬가지로 인공호흡기는 척수손상이나 퇴행성신경근육질환을 앓고 있는 수천 명 이상의 생명을 연장시키고 있다. 휠체어에 부착된 인공호흡기는 이같은 상태의 환자들이 일상생활에 참여하고, 자신들의 이익을 추구하며, 또 반세기 전에는 불가능했을 듯한 일상적인 삶을 누릴 수 있게 해 준다. 실제로, 이 발명은 수많은 사람들에게 긍정적인 영향을 끼쳤다.

그러나 인공호흡기도 다른 어떤 기술과 마찬가지로 오해될 가능성이 있다. 중환자실 근무자들은 누구나 제3계명-즉, '어떤 상황에서도 인공호흡기는 치료자가 아닌 보조자라는 것'-을 기억해야 한다. 즉, 기계환기를 시행하면 만성폐질환, 암, 울혈성심부전, 또는 호흡부전을 일으키는 수많은 질환과 손상을 되돌릴 수 있다고 믿는 것은 어리석은 일이다. 인공호흡기는 환자가 병에서 회복할 때까지 폐의 환기기능과 대사기능을 유지하기 위해 존재한다. 다시 한번 이야기하지만 기계환기만으로 환자를 낫게 할 수는 없다. 이것은 사실 많은 의사들이 간과하는 부분인데, 의사들은 인공호흡기를 조금만 수정하거나 조절하면 급성호흡부전으로부터 환자의 회복이 빨라질 것이라고 믿는 것이다.

의사에게 환자가 고통받고 있는 질환의 자연경과와 예후를 이해하는 것이 중요한 것과 마찬가지로, 무뚜뚝한 말투일지라도 환자 및 가족들에게 간결하고 이해할 수 있게 정보를 제공하는 것 또한 중요하다. 기계환기가 필요할 수 있는 근위축측삭경화증(amyotrophic lateral sclerosis) 환자는 인공호흡기에 연결된 삶을 수용해야 하겠지만 수용 가능한 삶의 질과 관련된 "말하고 반응하며 관계를 맺는 일등"을 할 수 있어야 한다. 그러나 중증뇌출혈로 혼수상태에 빠진 환자 즉, 사망까지는 아니더라도 상당 기간 혼수상태로 지내게 될 것이 예상되는 환자에게 전혀 다른 문제가 된다. 환자나 그의 가족에게는 이와 같은 상태로 생명을 유지하는 것이 가치가 있다고 생각할 수 있지만, 의사는 이 같은 환자에서 기계환기 치료를 시작하기 전에 인공호흡기에 의존하여 생명을 연장하는 일의 냉혹한 현실(예상 밖으로 복잡한 의학적, 사회적, 재정적인 결과)에 대해 알려줘야 한다.

그렇다면, 헌신적으로 치료하는 의사, 간호사 또는 호흡치료사는 무엇을 해야 할까? 근거 없는 낙관주의도 해로울 수 있지만 지나치게 비관적인 허무

주의 또한 해로울 수 있다. 호흡부전을 유발한 질환 또는 손상의 원인이 해결된 환자들은 대부분 호흡부전에서 회복될 것이다. 즉, 1년 이상 기계환기가 필요한 진정한 의미의 인공호흡기의존증(ventilator dependence)은 드물다. 우리가 할 수 있는 일은 다음과 같다.

1. 의인성손상(iatrogenic injury)으로부터 폐를 보호한다. 근거중심 및 생리학적 기반의 접근법을 통해 인공호흡기 실정을 한다.
2. 원인질환이나 손상을 신속하고 공격적으로 치료한다.
3. 기아상태(starvation)에서는 어떤 질환도 효과적으로 치료되지 못한다. 적절한 영양공급은 매우 중요하다.
4. 사람들은 하루 종일 침대에 누워있을 수 없다. 만약에 환자가 혼수상태나, 쇼크상태, 또는 중증호흡부전 상태가 아니라면 환자는 침대에서 일어나 의자에 앉기 시작해야 한다. 걷는 것까지도… 물론 여기에는 다음의 상황과 같은 당연한 상식이 필요하다는 것을 덧붙이겠다. 즉, 흉골이 벌어져 있는 환자를 움직이게 하는 것은 좋은 생각이 아닌 것과 같은... 하지만, 중환자실에 머무는 동안 얼마나 많은 환자들이 등을 대고 누워지내는지 생각해 보면 놀라운 일이다. 이런 상황은 건강하지 못하다.
5. 환자가 회복되는 것 같이 보일 때는 매일 발관(extubation)준비가 되었는지 평가를 시작한다.
6. 인내심을 가져라. 생각보다 오래 걸릴지도 모르기 때문이다.
7. 장기간의 기계환기가 필요한 것이 명백해지면 기관절개술을 진행하자. 임의로 정해진 일수(2주)까지 기다릴 필요는 없다.
8. DVT 예방, 피부관리, 망상예방과 같은 사소한 것에도 주의를 기울여

야 한다.

9. 인내심을 가져라. 그리고…
10. 당신의 환자는 당신과 놀라울 정도로 똑같이 결핍, 궁핍, 돌봄, 걱정을 갖고 있는 같은 처지의 인간이라는 것을 기억하라. 비록 말은 못하겠지만 환자들은 들을 자격이 있다. 비록 존경을 표현할 수는 없겠지만 환자들은 존경받을 자격이 있다. 환자들은 기본적인 인간적 친절과 스킨십을 누릴 자격이 있다. 당신의 손에 환자 자신의 목숨을 맡겼다는 것을 잊지 마라. 당신의 일은 결코 쉬운 일이 아니며, 대부분의 사람들이 할 수 있는 일도 아니다. 소수의 사람들이나 해낼 수 있는 방법으로 다른 사람의 삶에 긍정적인 영향을 주었다는 것을 깨닫는 것만으로도 중환자를 돌보는 이 위대한 직업의 가장 큰 보상이 될 것이다.

※일러두기

본문 중 참고문헌은 윗첨자로 표시하였으며, 자세한 참고문헌의 출처는 216페이지부터 나열하였다.

01

초기설정

Initial Settings

***측정치 관련 참고**—별도로 언급되지 않은 한 모든 기도압은 cm H_2O로 표시한다. 모든 일회호흡량은 예측된 몸무게(predicted body weight, PBW)의 mL/kg으로 표현한다.

환기모드들(Modes of Ventilation)

환기에는 여러가지 다른 모드가 있으며, 각 인공호흡기 제조업체들은 이들에 대한 상표명(일반적으로 상표권이 있는)을 갖고 있다(예; PRVC, VC+, CMV with Autoflow, ASV, PAV, Volume Support, 그리고 이외에도 많은 모드의 이름들이 있다). 처음에는 이런 것들이 자신감을 잃게 할 정도로 겁먹게 하는 것일 수 있다. 뭘 선택해야 할지 누가 알 수 있을까? 다행스럽게, 약품처럼, 이 모드들은 또한 일반명(generic name)을 갖고 있다. 일반명은 꼭 알아야 하는데 이는 시판되는 서로 다른 인공호흡기의 이 모드들 전부가 단지 상표명만 다를 뿐 기본적으로는 동일하기 때문이다.

각각의 환기모드에는 장단점이 있다. 완벽한 모드도 없으며, 쓸모 없는 모드도 없다. 기계환기를 시작할 때 환자의 필요에 가장 잘 맞는 모드를 선택하는 것이 가장 좋다. 이런 각각의 모드는 다음 장에서 자세히 설명하겠지만 우선 여기에서 간략한 개요를 소개한다.

보조제어환기(Assist-Control Ventilation, ACV, ACMV)

보조제어환기는 대부분의 상황에서 우선적으로 선택되는 모드이다. 이 모드는 기본적으로 인공호흡기가 호흡일(work of breath)을 전부 대신해주기 때문에, 호흡부전환자나 급성심부전에서 우선적으로 선택되는 모드이다. 이 모드는 전적인 호흡보조(full respiratory support)를 제공한다. 그러나 만약 환자가 설정된 호흡수 이상의 호흡을 원하면 할 수 있다. 환자가 인공호흡기를 유발하면 최소한의 노력만으로도 일회호흡량 전부를 공급받게 된다.

장점: 호흡일을 대신한다. 보조제어환기를 시작할 때 임상의사는 용적조절모드에서는 일회호흡량을, 압력조절모드에서는 흡기압을 설정할 수 있다.

단점: 빈호흡 환자가 매번 호흡하려 할 때마다 일회호흡량이 전부를 공급되므로 적절한 안정제를 투여하지 않으면 심한 호흡알칼리증이나 공기걸림(air trapping)이 발생할 수 있다. 특히 COPD나 천식이 있는 환자들에서 이런 문제가 발생할 수 있다.

압력보조를 동반한 동조간헐강제환기
(SIMV with Pressure Support)

SIMV 또한 전적인 호흡보조(full ventilator support)를 공급할 수 있으며 매우 인기있는 모드이다. 보조제어환기와 마찬가지로 임상의사는 일회호흡량(용적조절모드에서)이나 흡기압(압력조절모드에서)을 설정한다. SIMV와 보조제어환기(ACV)의 주된 차이점은 '환자가 호흡을 유발하려고 할 때 어떤 일이 발생하느냐' 이다. 보조제어환기(ACV)에서는 설정된 일회호흡량을 전부 공급받게 되고 SIMV에서는 환자가 흡입할 수 있는 만큼의(일반적으로 압력보조의 도움을 받아) 일회호흡량이 공급된다.

장점: 호흡일을 대신할 수 있지만 보조제어환기보다 환자가 조금 더 자발적인 호흡을 할 수 있게 한다. 점차적으로 호흡보조를 중

단할 때(이탈 시) 유용할 수 있다.

단점: 인공호흡기의 호흡수 설정을 충분히 높게 하지 않으면 과도한 호흡일 때문에 환기상태가 불안정한 환자에서 호흡근의 피로(fatigue)가 발생할 수 있다. 또한 압력보조(pressure support)를 충분히 높게 설정하지 않으면 자발호흡이 빠르고 얕아져(rapid and shallow) 피로(fatigue)가 발생할 수 있다.

압력보조환기(Pressure Support Ventilation)

압력보조환기(PSV)에서는 호흡수를 설정하지 않는다. 대신에 환자가 자발호흡을 할 수 있게 하고 임상의사가 설정한 압력으로 자발호흡 하나 하나를 "부양(boost)"하게 한다. CPAP과 함께 적용하면 폐포동원(alveolar recruitment)이 개선된다. PSV는 호흡부전(의식저하, 기도장애), 심부전때문에 기관삽관을 시행한 환자에서 또는 기계환기 이탈 중에 사용된다. 또한 이 모드는 중증대사산증을 가지고 있는 환자에서 적용할 수 있다. 예를 들어 pH 6.88, HCO_3 4 mEq/L인 환자에서는 호흡욕동(respiratory drive)이 현저히 높아질 것이고 보조제어환기와 같은 모드로는 이와 같이 높은 대사요구(metabolic demand)를 충족시킬 수 없을 것이기 때문이다.

장점: 환자 자신의 호흡수와 패턴대로 호흡할 수 있으므로 훨씬 더 편안하다. 자발호흡은 혈류역학과 VQ균형에 유익한 영향을 준다.

단점: 백업호흡수(backup rate) 설정이 없으므로 만일 환자가 무호흡상태가 되더라도 경보가 울릴 때까지는 아무 일도 일어나지 않는다. 또한 상태가 불안정한 환자들은 압력보조수준(pressure support level)을 높게 설정하더라도 환자에게 호흡일(work of breathing)이 부과되면 급속히 피로에 빠진다.

비 통상적인 모드들(Unconventional Modes)

기도압방출환기(APRV)와 고빈도진동환기(HFOV)는 중증 저산소혈증을 치료하는 데 사용된다. 이 모드들은 급성호흡부전에 대한 일차적 치료로 선택되는 경우는 거의 없으며, 이 책의 후반부에서 논의될 것이다. 현 시점에서는 앞서 설명한 모드(A/C, SIMV, PSV)에 집중하자.

병태생리를 바탕으로 한 인공호흡기 설정
(Ventilator Settings Based on Pathophysiology)

제한성폐질환(Restrictive Lung Disease)

예: ARDS, 흡인성폐렴, 폐렴, 폐섬유화, 폐부종, 폐포출혈, 흉부외상

제한성폐질환은 호흡기계의 유순도(compliance)감소와 관련이 있다. 허탈(collapse)되는 것이 폐에서는 자연스럽다. 즉, 폐안으로 공기가 들어오는 것은 어렵고 나가는 것은 쉽다는 것이다. 기계환기 전략은 허탈에 빠지려 하는 폐포를 동원(recruit)하고, 호흡주기에 따른 폐포폐쇄(alveolar closure)를 방지하며, 적절한 산소를 공급하고, 과팽창(overdistension)에 의한 용적손상(volutrauma)을 최소화하는 것이다.

초기모드는 환자의 호흡일을 전부 대체하는 모드여야 한다. 따라서 용적조절모드나 압력조절모드에 관계없이 보조제어환기(Assist-Control Ventilation)가 추천되는 모드이다.

용적조절환기(Volume-controlled ventilation)로 설정하는 경우:

1. 일회호흡량은 6 mL/kg PBW
2. 감속기류(decelerating flow) 패턴으로 호흡수는 분당 14-18회
3. 처음에는 FiO_2 100%로 시작하고 SpO_2 88%≥이면 FiO_2 를 60%로 줄인다.
4. 저산소혈증 정도에 따라 PEEP 5-10 cm H_2O를 설정한다. 흉부X선 사진에서 폐음영 증가(opacification)가 심할 수록 폐내단락(intrapulmonary shunt)을 줄이기 위해 더 높은 PEEP의 설정이 필요하다는 것을 기억하라.
5. 저산소혈증이 지속되면 SpO_2가 88% 이상이 될 때까지 PEEP을 높인다. 그러나 20 cm H_2O는 넘지 마라.

6. PEEP를 조정한 후에는 고원압(plateau pressure)을 확인한다.

P_{PLAT}가 30 cm H_2O 이상이면 P_{PLAT}가 30 cm H_2O 미만이 될 때까지 일회호흡량을 줄인다. 그러나 4 mL/kg PBW 이하로는 줄이지 마라.

압력조절환기(Pressure-controlled ventilation)로 설정하는 경우:

1. 저산소혈증 정도에 따라 PEEP은 5-10 cm H_2O
2. FiO_2 100%로 시작하고 $SpO_2 \geq 88\%$이면 FiO_2를 60%로 줄인다.
3. 15 cm H_2O의 추진압(driving pressure, 또는 흡기압)
4. 호흡수 분당 14-18회
5. I:E 비율을 1:1.5 또는 그 이상이 되도록 유지하도록 흡기시간을 조정한다. I-time은 보통 1.0-1.5초이다. 예를 들어 호흡수를 분당 20회, I-time 1.0초로 설정하면 I:E 비율은 1:2(흡기:1초, 호기:2초)이다. 또 호흡수를 분당 15회, I-time 1.5초로 설정하면 I:E 비율은 1:1.67(흡기:1.5초, 호기:2.5초)이다. 이것은 인공호흡기 화면에 표시된다.
6. 저산소혈증이 지속될 경우 SpO_2가 88% 이상이 될 때까지 PEEP을 높인다. 그러나 20 cm H_2O는 넘지 마라.
7. 호기시 일회호흡량(exhaled tidal volume)을 확인해 보라. 만일 6 mL/kg을 초과할 경우 일회호흡량이 4-6 mL/kg 이내로 줄어들 때까지 추진압(driving pressure)을 낮춘다.

기계환기를 시작한 후 동맥혈가스를 확인한다. 15-20분 정도 경과하면 가스교환이 평형에 도달할 수 있다.

호흡수를 조정하여 $PaCO_2$를 변경하라(높은 호흡수는 $PaCO_2$를 낮추고 반대로 낮은 호흡수는 $PaCO_2$를 높임). 일회호흡량을 4-6 mL/kg 이내로 유지하고 P_{PLAT}(용적조절환기모드인 경우) 또는 P_{INP}(압력조절환기모드인 경우)을 30 cm H_2O 이하로 유지한다. 정상적인 환기보다 폐보호(lung protection)가 더 중요하다는 것을 기억하라—7.15 이상의 pH는 허용할 수 있으므로(허용적 고탄산혈증, permissive hypercapnea) 정상적인 pH나 정상 $PaCO_2$를 유지하기 위해서 과팽창(높은 일회호흡량의 형태)에 의한 폐 손상을 감수할 필요가 없다.

PaO_2를 55-70 mmHg, SpO_2를 88%-94% 사이로 유지하면서 FiO_2를 낮추라. 아주 예외적인 경우를 제외하고는 PaO_2를 이 범위보다 높게 유지하면서 얻을 수 있는 것은 거의 없다. 다만 외상성뇌손상을 입은 환자에서는 보통 뇌조직 산소모니터링과 함께 더 높은 PaO_2의 유지가 필요로 하다. 또한 일산화탄소중독 환자들에서 100% 산소를 호흡하는 것은 유익하다.

폐쇄성기도질환(Obstructive Airway Disease)

예: COPD, 천식

폐쇄성폐질환은 유순도 증가와 호기기류 폐쇄가 동반된다. 폐쇄성폐질환이 있으면 공기가 폐로 들어오기는 쉬워도 나가기는 어렵다(제한성폐질환과는 반대).

이 질환에서 환기전략은 호흡근을 쉴 수 있게 하면서, 적절한 산소를 공급하고, 과팽창을 줄이는 것이다.

일반적인 선택모드는 보조제어환기(Assist-Control Ventilation, ACV)모드이며, 이때는 압력조절모드(pressure control mode)보다는 용적조절모드(volume control mode)가 더 바람직하다. 압력보조를 동반한 동조간헐강제환기(SIMV with Pressure Support)모드도 사용 가능하나, 이때는 빈호흡과 호흡근 피로를 예방하기위해 호흡수와 기도압보조(pressure support)정도를 충분히 높게 설정해야 한다. 높은 기도저항과 높은 흡기압은 COPD와 천식의 악화에서 관찰되는 특징이지만 P_{PLAT}는 예상외로 현저히 낮을 수 있다. 폐쇄성폐질환과 같이 기도압이나 기도저항이 높은 상황에서 압력조절모드(pressure control mode)를 사용하면 일회호흡량이 매우 낮아진다. 반면에 용적조절모드(volume control mode)는 원하는 일회호흡량의 공급을 보장한다. 이것이 폐쇄성폐질환 환자의 기계환기에서 용적조절모드를 추천하는 이유이다.

1. 일회호흡량은 8 mL/kg PBW. 일회호흡량이 낮으면 공기걸림(air trapping)을 유발하고 과팽창(hyperinflation)이 악화될 수 있다.
2. 호흡수는 분당 10-14회
3. I:E 비율은 1:3 이상 유지되도록 흡기시간을 조정한다. 폐

쇄성기도질환에서는 공기가 쉽게 들어가지만 세기관지와 기관지의 염증으로 기도가 좁아져 공기가 빠져나오기가 힘들다. 호기가스가 배출될 시간을 주어야 한다.

4. 천식에서 PEEP을 적용하면 과팽창(hyperinflation)이 악화된다. 그러나 COPD에서 PEEP을 적용하면 허탈(collapse)에 빠지기 쉬운 기도에 적절한 수준의 PEEP은 호기 중 부목(splint)처럼 작용하므로 좁아진 기도가 개방될 수 있다. COPD에서는 동적기도폐쇄(dynamic airway obstruction)가 특징인 반면, 천식악화시에는 고정적(fixed obstruction) 기도폐쇄가 특징이다. 두 질환 모두 PEEP을 0에서부터, 즉 ZEEP (zero applied end-expiratory pressure)부터 시작하는 것이 좋다.
5. FiO_2는 100%로부터 시작; SpO_2가 88% 이상 유지되면 FiO_2를 60%로 낮춘다. COPD나 천식을 앓는 환자들은 적절한 진정에도 불구하고 종종 빈호흡상태로 계속 남아있다. 보조제어환기(Assist-Control Ventilation, ACV) 모드에서는 환자가 유발하는 모든 호흡에 설정된 일회호흡량이 전부 공급되며, 이로 인해 공기걸림(air trapping)이나 중증 호흡알칼리증이 초래될 수 있다. 이런 경우에는 기계환기 모드를 동조간헐강제환기(SIMV)로 전환하는 것이 도움이 될 수 있다.

중증대사산증(Severe Metabolic Acidosis)

예: 살리실산염 중독, 패혈성쇼크, 독성물질노출, 급성신부전, 당뇨병케토산증

대사산증에서 호흡기계의 정상반응은 과환기(hyperventilation)이다. CO_2는 휘발성산(volatile acid)이며 pH를 정상에 가깝게 유지하기 위해 폐는 체내에서 이 산(acid)을 빠르게 제거할 수 있다. 예를 들어 HCO_3가 4 mEq/L인 환자에서 적절한 호흡보상이 발생하는 경우 $PaCO_2$는 14-15 mmHg가 된다. 이렇게 되기 위해서는 매우 높은 분당환기량(minute ventilation)이 필요하다.

당신이 호흡수를 분당 30-35회, 일회호흡량을 800-1000 mL로 높게 설정하더라도 이와 같은 아주 높은 분당환기량(minute ventilation)을 공급하도록 인공호흡기를 설정하는 것은 매우 어렵다. 중증 대사산증환자들에서 인공호흡기는 숨을 내쉬려고 하나 환자는 숨을 들이쉬려고 하는 또는 그 반대 경우와 같은 경우가 있는데 이 때문에 환자-인공호흡기 사이에 비동시성(dyssynchrony)이 발생하며, 인공호흡기 경고음의 원인이 된다. 정상적인 경우에는 용적 및 압력경고음은 도움되는 기능이지만 과환기가 필요한 대사산증과 같은 경우 용적 및 압력경고음이 필연적으로 환자에게 공급되어야 하는 분당환기량(minute ventilation)을 제한하게 됨으로써 환자에게 오히려 불리하게 작용할 것이다.

앞에서 언급한 예를 생각해보자. pH가 6.88이고 HCO_3가 4

mEq/L인 환자에서는 $PaCO_2$가 14-15 mmHg 정도 되어야 한다. 만약 기관삽관 후 진정제를 투여하고 인공호흡기설정을 "통상적"인 방법으로 설정한다면, 이 환자의 분당환기량은 상대적으로 부족한 상태가 되어 $PaCO_2$가 25-30 mmHg 까지 상승할 수 있다. 중증산혈증에서 이와 같은 CO_2의 상승은 환자의 pH를 6.6 정도까지 떨어뜨려 심정지(cardiac arrest)가 발생할 가능성이 아주 높다.

이런 상황에 대처하는 가장 좋은 방법은 자연스럽게 높아져 있는 환자의 호흡욕동(respiratory drive)을 환자 자신에게 유리하도록 작용하게 하는 것이다.

1. 최저수준의 진정제를 사용하여 삽관하고 신경근차단제를 전혀 사용하지 않는다.
2. 환기모드를 압력보조환기(pressure support ventilation)로 설정한다.
3. 저산소혈증의 정도에 따라 5-10 cm H_2O 정도의 CPAP (또는 PEEP)을 설정한다.
4. 10-15 cm H_2O의 압력보조(pressure support)를 적용해보고 환자가 편안하게 호흡할 수 있도록 필요에 따라 조절한다. 대부분의 경우 PS를 10 cm H_2O 정도 설정하면 충분하다.
5. 환자의 분당환기량이 18-25 L/min가 되도록 한다. 환자가 1,000-2,000 mL의 자발호흡용적을 들이마시는 것을 보고 놀라지 마라. 대사산증의 원인을 치료하는 동안 이렇게 높은 분당환기량이 pH를 높여 줄 것이다.

기타 다른 임상적 상황들에 대한 주요 인공호흡기 개념(Key Ventilator Concepts for Other Clinical Situations)

- 좌심실은 PEEP을 좋아한다.-흉강내압을 증가시키면 전부하(preload)와 후부하(afterload)가 감소하고, 이는 좌심실 기능장애로 인한 급성심부전(수축기 또는 이완기 관계없이)에 도움이 된다.

- 반면에 우심실은 PEEP을 별로 좋아하지 않는다. 흉강내압이 상승하면 폐혈관압이 상승하고 얇은 벽의 우심실에 부담을 줄 수 있다. 우심실부전(대량 폐색전증, 폐고혈압 악화)이 발생하면 산소화(oxygenation)를 유지하기 위해 더 높은 FiO_2 및 PEEP(이상적으로 10 cm H_2O 이하)이 필요하다.

- 뇌경색, 뇌출혈, 두부외상 및 여러 원인들에 의해 급성뇌손상이 발생했을 때, 기계환기의 우선 순위는 적절한 산소공급의 유지다. 이런 상태에서는 SpO_2 94-98%와 PaO_2 80-100 mmHg이 산소공급의 목표이다. PEEP이 두개내압(intracranial pressure)을 높일 수 있지만 이는 PEEP이 15 cm H_2O 이상 설정된 경우에만 의미 있는 것으로 보인다. 반면에 저산소혈증은 두개내압을 확실하게 증가시킨다. 따라서 적절한 대뇌 산소분압을 유지하기 위해 필요한 설정을 사용한다.

- 과호흡 ($PaCO_2$<32 mEq/L)은 뇌혈관수축(cerebral vasoconstriction)을 유발하여 두개내압을 낮춘다. 다르게 표현하면 뇌의 순환혈액량이 줄어든다. 과호흡은 환자의 뇌탈출(brain herniation)이 임박한 상황에서 만니톨을 주입하기 위해 5분 정도 필요하거나 수술실에 도착하기 위해 10분 정도 걸리는 경우와 같이 잠깐 두개내압을 낮추는데는 도움이 될 수 있다. 반면에 과호흡이 길어지면 뇌허혈이 악화되고 뇌내고혈압에도 지속적인 효과가 없다. 목표는 정상($PaCO_2$ 35-40 mmHg)이다.

02

신속하게 조정해야 할 것들

Quick Adjustments

다음은 동맥혈가스(ABGA)결과를 바탕으로 인공호흡기를 조정하는 방법이다. 환자의 상태에 따라 어떤 일을 할 것인지 분명히 해야 한다. 조정은 선호하는 순서대로 하면 된다.

PaO_2가 너무 낮은 경우

- Assist-Control, SIMV: PEEP을 높임, FiO_2를 올림
- APRV: P_{HIGH}를 높임, T_{HIGH}를 늘림, FiO_2를 올림
- HFOV: 평균기도압(mPAW)을 높임, FiO_2를 올림

$PaCO_2$가 너무 높은 경우

- Volume Assist-Control 또는 SIMV: 호흡수를 증가시킴, 일회 호흡량을 높임
- Pressure Assist-Control 또는 SIMV: 호흡수를 증가시킴, 추진압(driving pressure)을 올림
- APRV: PHIGH와 PLOW간의 차이를 증가시킴, THIGH를 줄임, TLOW를 늘림.
- HFOV: 주파수(f)를 낮춤, 진폭을 증가시킴, TI%를 늘림, 5 cm까지 커프유출(cuff leak)을 허용

$PaCO_2$가 너무 낮은 경우

- Volume Assist-Control, 또는 SIMV: 호흡수를 감소시킴, 일회 호흡량을 낮춤
- Pressure Assist-Control 또는 SIMV: 호흡수를 감소시킴, 추진압(driving pressure)을 낮춤
- APRV: THIGH를 늘림, PHIGH를 낮춤, TLOW를 줄임
- HFOV: 주파수(f)를 높임, 진폭을 감소시킴, TI%를 줄임

03

문제해결

Troubleshooting

다음과 같은 문제들 때문에 당신을 호출하게 될 것이다. 언제나 그랬던 것처럼 가장 먼저 환자를 직접보고 진찰해야 한다. 당신이 알고 있는 기본적인 진찰소견과 함께 이 가이드를 사용하면 문제점을 파악하는데 도움이 된다.

최고기도압이 높은 경우(High Peak Airway Pressures, P_{AW})

첫 번째로 점검해야 할 것은 흡기정지(inspiratory pause)를 시행하여 고원압(plateau pressure, P_{PLAT})을 측정해야 한다. 고원압은 폐포압(alveolar pressure)을 나타내는 반면, 기도최고압(peak airway pressure, P_{AW})은 폐포압과 기도저항의 합이다.

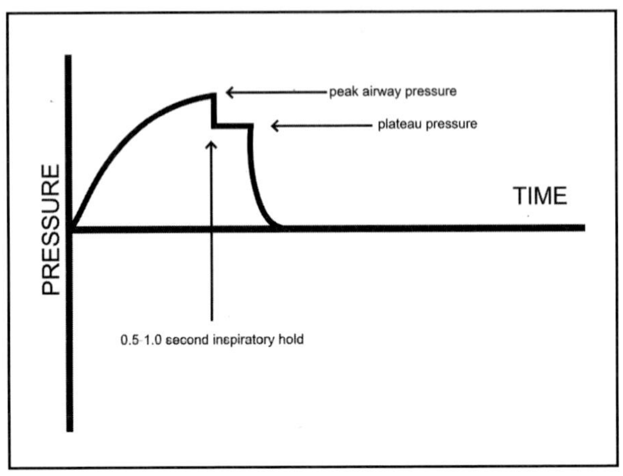

고원압(P_{PLAT})은 기류가 정지되었을 때 폐 전체의 평형을 나타낸다. 이는 폐포압에 대한 가장 좋은 평가지표이다.
최고기도압과 고원압의 차이는 전도기도(conducting airways)의 저항을 나타낸다. 이것은 보통 <5 cm H_2O이다.

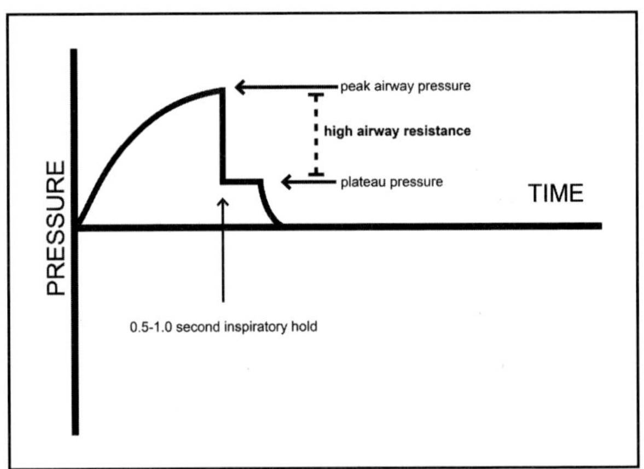

최고압과 고원압 사이의 차이(보통 5 cm H_2O 이하)가 증가하면 기도저항이 높다는 것을 의미한다.

높은 PAW, 낮은 PPLAT—이것은 높은 기도저항이 문제라는 것을 의미한다.

- 구부러진 기관내 튜브—튜브를 바로 편다.
- 점액전(mucus plugging)—흡인카테터로 제거한다.
- 기관지경련—기관지확장제를 흡입시킨다.
- 기관내관이 너무 좁음—튜브를 변경하거나 높은 PAW를 받아들인다.

높은 PAW, 높은 PPLAT—이것은 문제가 폐에 있다는 것을 의미한다.

- 주기관지내 삽관(mainstem intubation)—주기관지내 튜브를 기관쪽으로 잡아당긴다.
- 전폐 또는 폐엽의 무기폐—객담 배출을 위한 흉부 두들김(chest percussion) 또는 기도개방을 위한 기관지경
- 폐부종—이뇨제 또는 승압제(inotropes)투여
- ARDS—일회호흡량은 작게, PEEP은 높이는 전략을 사용
- 기흉—흉관삽입

동적과팽창이 발생한 경우(Dynamic Hyperinflation, Auto-PEEP)

동적과팽창은 보통 충분한 호기시간(time for exhalation)이 부족하기 때문에 발생한다. 기도저항이 높은 경우(기관지경련,

COPD, 점액전 등으로) 동적과팽창이 더 악화된다. 진찰할 때 환자가 숨을 내쉬는 동안 환자의 복근이 강하게 수축하는 것을 볼 수 있다. 경정맥이 팽창될 수도 있고, 큰소리의 천명음(wheezing)이 들릴 수도 있다. 인공호흡기의 호기류(expiratory flow)파형이 기준선인 0으로 돌아오지 않는다.

- 일반적으로 인공호흡기의 호흡수를 분당 10-14회로 낮춘다.
- I:E 비율을 1:3 – 1:5 범위로 유지하기 위해 흡기시간을 단축한다.
- 일회호흡량은 6-8 mL/kg 범위로 유지—일회호흡량이 높을수록 환자의 자발호흡이 느려지는 경우가 많다.
- 환자가 "공기고픔(air hungry)" 소견을 보이면 흡기유량(inspiratory flow)을 분당 60-80 L까지 증가시킨다.
- 마약성진통제로 충분한 진정을 유도하면 빈호흡반응(tachypneic response)을 약화시킬 수 있다.
- 기관지확장제 및 전신스테로이드제로 기관지경련을 치료한다.

갑자기 SpO_2가 떨어진 경우(Sudden drop in SpO_2)

저산소혈증이 새롭게 발생하거나 악화되는 경우 항상 알람을 유발한다. 첫 번째 단계는 기계적 문제나 튜브의 변위(tube displacement)를 배제하는 것이다.

- 환자에서 인공호흡기를 분리하고 앰부백으로 환기를 시켜 본다.
- 튜브가 제자리에 있고(기관튜브의 위치에 대한 의심이 있을 경우 색상변화; Colorimetric CO_2 Detector 로 확인하거나 또는 파형으로 호기말 이산화탄소분압; E_TCO_2을 확인) 호흡음이 존재하며 또 좌, 우폐의 호흡음이 동일한지 확인한다.
- 동맥혈가스(ABGA)검사
- 흉부X선 사진—이것으로 폐침윤, 기흉, 폐부종, 무기폐의 악화 또는 새로운 흉막삼출을 확인한다.
- 중환자에서 새롭게 발생한 저산소혈증의 원인으로 항상 폐색전증을 고려하며, 폐색전증 진단을 위한 검사를 적극적으로 시행한다.
- 한쪽에서 호흡음이 들리지 않는 경우—기관내튜브를 몇 센티미터 뒤로 잡아당김
- 튜브가 올바른 위치에 있더라도 한쪽에서 호흡음이 들리지 않음—기흉, 또는 점액전에 의해 한쪽폐가 완전히 무기폐가 된 경우
- 한쪽에 호흡음이 없고 환자의 혈압이 떨어진 경우 긴장성기흉(tension pneumothorax)을 의심해야 한다. 경정맥 확장과 기관지가 긴장성기흉이 발생한 반대쪽으로 치우치면 긴장성기흉이 발생했음을 시사하지만 이런 소견이 항상 보이는 것은 아니다. 치료법은 즉시 바늘로 감압한 다음 흉관을 삽입한다.

인공호흡기와 충돌하는 경우(Fighting the Ventilator)

인공호흡기와 충돌하는 환자에게 진정제나 근육이완제를 투여하기 전에 항상 **TSS**-**T**ube, **S**ounds, **S**ats(산소포화도)를 확인해야 한다. **T**ube: 기관내관이 제자리에 있고 막히지 않았으며 **S**ounds: 호흡음이 들리고 또 좌우가 같으며 **S**ats: 환자가 저산소혈증을 보이지 않아야 한다.

그 밖에 확인해야 할 사항은 다음과 같다.

- 동적과팽창(dynamic hyperinflation, 이를 치료하는 방법은 앞쪽 참조)의 존재를 확인
- 치료되지 않은 통증, 특히 외상과 외과 환자들에서
- 인공호흡기가 적절한 호흡수와 일회호흡량을 공급하고 있는지 확인
- 환자가 피로(fatigue)에 빠졌다면 보조제어환기(Assist-Control Ventilation, ACV)로 환기모드를 변경
- 기타 고통(distress)의 원인-허혈심장병, 발열, 복부 팽만, 신경학적 악화 등-이 있는지 확인

E

E_TCO_2가 변하는 경우(Change in E_TCO_2)

먼저 파형을 보자. 파형이 없다면 다음 세 가지 중 하나를 의미한다.

- 기관튜브 또는 기관절개튜브가 기관 안에 있지 않은 경우
- 기관튜브가 완전히 막힘
- ETCO_2 센서고장

처음 두 가지는 분명히 심각한 응급상황이며 즉시 대처해야 한다. 세 번째는 첫 번째 두 가지를 배제한 후에야 진단된다.

파형이 있으면 ETCO_2 값을 확인해보자. ETCO_2가 뚜렷하게 달라졌다면, PaCO_2상태를 알아보기 위해 동맥혈가스를 검사해야 한다.

ETCO_2와 PaCO_2가 상승하는 경우—이는 CO_2 생산량이 증가되는 경우 또는 폐포저환기(alveolar hypoventialtion)를 의미한다.

- 발열
- 악성고열
- 갑상샘항진증(thyrotoxicosis)
- 충분한 인공호흡기의 호흡수 백업이 없는 상태에서 진정제 과다투여 등에서와 같이 호흡욕동(respiratory drive)이 억제된 경우

PaCO_2 변동이 없거나 오히려 상승하는 상태에서 ETCO_2가 하락하는 경우 - 둘 사이의 차이가 확대되는 것은 사강환기(dead space ventilation)의 증가를 시사한다.

- 폐색전증
- 심박출량 감소(심인성 또는 저혈량성 쇼크)
- auto-PEEP을 동반한 동적과팽창(dynamic hyperinflation)

E_TCO_2가 하락하면서 동시에 $PaCO_2$도 하락—폐포호흡량(alveolar ventilation)의 증가를 의미한다.

- 통증(pain)
- 초조(agitation)
- 발열(fever)
- 패혈증(sepsis)

04

기계환기의 십일계명

The Eleven Commandments of Mechanical Ventilation

1계명: 환자폐의 유순도(COMPLIANCE)를 마음에 두고 날마다 측정하라.

- 유순도란 용적변화(ΔV)를 압력변화(ΔP)로 나눈 값이다. 동적유순도(dynamic compliance)는 내쉬는 일회호흡량을 동적압력변화(즉, peak airway pressure - PEEP)로 나눈 값이다. 정적유순도(static compliance)는 내쉬는 일회호흡량을 정적압력변화(plateau pressure - PEEP)으로 나눈 값이다. 이 둘 사이에 큰 차이가 발생했다면 기도저항의 증가가 흔한 원인이다.
- 정상 호흡기계의 유순도는 약 100 mL/cm H_2O이며, 기

계환기치료를 받고 있는 환자의 정상치는 70-80 mL/cm H_2O이다.

- 유순도가 감소한다는 것은 수액과다, 폐렴, ARDS, 기흉 또는 기타 여러 가지 나쁜 것들을 의미할 수 있다.
- 유순도가 좋아진(증가한)다는 말은 최소한 폐역학의 관점에서 볼 때 환자가 호전되고 있다는 것을 의미한다.

2계명: 환자가 쓸데없이 중증질환(critical illness)의 돌팔매와 화살을 맞고 고생하게 하는 것보다는 **기관삽관**(INTUBATE)**과 기계환기**(VENTILATE)를 시행하는 것이 더 귀한 것이다.

- 중환자에서 기관삽관을 시행하는 것은 결코 환자가 약해졌다는 징후가 아니며 오히려 결단력의 징후이다.
- 기관삽관의 몇 가지 적응증은 불응저산소혈증(refractory hypoxemia), 고탄산혈증, 기도를 유지하기 어려운 경우, 쇼크 및 심각한 대사장애 등이다.

3계명: 당신이 하고 있는 기계환기는 단지 **보조**(SUPPORT)의 수단일 뿐이며, 그 자체로는 치료효과를 제공하지 못한다.

- 기계환기 자체가 환자를 도울 수 있다고 생각하는 것은 오해이다. 그것은 환자가 회복될 때까지 단지 환자가 살아있게 할 뿐이다.
- 인공호흡기는 다음의 세 가지 치료적 이점만 가지고 있다.
  1) 고농도의 산소공급을 보장함
  2) 양압에 의해 폐내단락(intrpulmonary shunt)을 감소시킴(무기폐, ARDS, 폐렴, 폐부종 등)
  3) 환자가 스스로 호흡할 수 있을 때까지 호흡일(work of breathing)을 대신함

4계명: 모든 상황에 완벽한 모드도 없고, 완전히 쓸모 없는 모드도 없기 때문에 **다양한 기계환기모드** (ABUNDANCE of MODES)에 익숙해져야 한다.

- 당신이 선호하는 모드도 있겠지만 인공호흡기를 적절하게 설정하면 대부분의 경우 어떤 환자에게 주어진 어떤 모드로도 기계환기를 시행할 수 있다는 점을 기억하라.
- 어떤 환자들에서 다른 모드보다도 어떤 특정 모드에 잘 적응하는 것처럼 보일 때가 있다. 왜 그런 일이 발생하는지는 모르겠지만, 그런 경우가 있다. 이것을 받아들이고 환자에게 가장 적합한 인공호흡기 설정을 찾는 것에 대해 두려워하지 마라.

5계명: 폐가 과도한 팽창으로 손상 받지 않도록 **일회호흡량(TIDAL VOLUME)**을 실수없이 세심하게 마음에 두어야 한다.

- 급성폐손상과 ARDS의 기계환기 치료에 대한 모든 연구 중에서 생존에 영향을 미치는 것으로 확인된 유일한 연구는 과다한 일회호흡량의 사용이다.
- 안정시 당신의 일회호흡량(tidal volume)은 예상체중의 4-6 mL/kg이다. 당신의 환자도 마찬가지이고…
- 일회호흡량(tidal volume)을 계산할 때 환자의 실측체중을 사용해서는 안된다. PBW (predicted body weight)를 계산하기 위해 계산표를 휴대하거나 수식을 외우거나 아니면 앱을 다운로드하라. 이 계산을 위해서는 환자의 키와 성별이 필요하다.
- 고원압(plateau pressure)이 더 중요하다거나 7, 8 또는 9 mL/kg이 6 mL/Kg보다 좋다고 자신 있게 말하는 의사들을 경계하라. 이런 의사들이 옳을 수도 있지만, 자신들의 주장을 뒷받침할 증거는 가지고 있지 않다.

6계명: 당신 환자의 폐(포)를 열고(OPEN) 폐(포)가 **열린 상태를 유지(KEEP THEM OPEN)**하게 하라.

- PEEP은 허탈(collapse)에 빠진 폐포를 동원(recruit)하여 폐

포가 열린 상태로 만들고 호기 중에 폐포가 다시 허탈(collapse)되는 것을 방지하기 위해 PEEP을 계속 적용한다.

- PEEP은 최소한 기능잔기용량(functional residual capacity)을 회복하고 폐내단락(intrapulmonary shunt)을 줄이는 데 도움이 된다.
- 일반적으로 흉부X선 사진에서 폐침윤이 관찰된다면 저산소혈증을 교정하기 위해서 PEEP을 높이는 것이 고농도의 산소를 투여하는 것보다 좋다는 것이 일반적인 원칙이다.

7계명: 완벽한 동맥혈가스소견(PERFECT ABGA)은 가상의 존재이므로 환자가 압력손상(barotrauma)과 용적손상(volutrauma)이라는 형태로 심각한 손상을 당하지 않도록 이를 추구하면 안된다.

- "정상" ABGA 결과를 얻기 위해 맹목적으로 노력하기보다는 손상으로부터 환자를 보호하는 것이 더 중요하며, 완벽한 ABGA결과를 얻기 위해 특별히 과도하게 높은 일회호흡량이나 인공호흡기의 추진압(driving pressure)이 필요로 하는 경우 더욱 그렇다.
- 인공호흡기의 설정에 관련된 모든 결정은 환자의 전체적인 상태를 생각하면서 해야 한다. 예를 들면, 허용적 고탄산혈증(permissive hypercapnia)이 천식환자에서는 완벽하게 적용되지만 뇌부종환자에서는 허용되지 않는다.
- 대부분의 경우, PaO_2=55 mmHg가 적절하다.

8계명: 충격에 빠져있는 당신의 환자에게 **피로 (FATIGUE)가** 생기지 않게 하고, 그 대신 환자가 회복하는 데 필요한 기계환기보조를 공급하라.

- 쇼크, 출혈 또는 중증패혈증과 같은 상태에서 호흡일(work of breathing)은 환자의 기저 에너지소모(basal energy expenditure)중 40-50%를 차지할 수 있다. 근본원인이 적절히 치료될 때까지 환자의 호흡일을 기계환기로 대신해야만 한다.
- 이를 위해 보조제어환기(Assist-Control Ventilation, ACV)가 가장 좋은 방법 중 하나이며 이같은 상황에서 대부분이 선호하는 모드이다.
- 횡격막을 재활운동시키고 환자가 SIMV나 CPAP/PSV에서 "워크아웃*"할 수 있도록 하는 것에 대한 많은 이론들이 있지만, 아무도 이것이 도움이 된다는 것을 증명하지 못했다(실제로 해로울 수도 있다).
- 보조제어환기(Assist-Control Ventilation, ACV)로 치료 중인 환자에서 자발호흡시험의 적용 대상인 경우 매일 SBT를 시행해 보는 것은 인공호흡기 치료기간을 최소화하는데도 매우 효과적이며 간단한 방법이다.

---

*워크아웃(workout): 금융기관(의사)이 재정위기(호흡부전)에 빠진 거래기업(환자)의 재무구조를 개선하고 채무상환능력을 높이는일. 파산(사망)전에 진행된다.

9계명: 어디서 발견되든지 **동적과팽창**(DYNAMIC HYPERINFLATION)을 찾아내어 치료하여라. 이것은 교활한 놈이기 때문이다!

- 동적과팽창은 autoPEEP 또는 호흡치쌓기(breath stacking)라고도 알려져 있다. 환자가 다음 호흡을 시작하기 전까지 폐안의 공기를 다 내쉬지 못할 때 발생한다.
- 동적과팽창은 해결하지 못하면, 불쾌감, 과탄산혈증, 저혈압, 심지어 PEA (pulseless electrical activity)까지 일으킬 수 있다. 폐쇄성폐질환 환자에서 기계환기를 시행하는 경우 모든 환자에서 동적과팽창의 존재를 의심해야 하며 폐쇄성폐질환이 없는 환자에서도 발생여부를 확인해 보라. 호흡수가 증가하고 있는데도 불구하고 $PaCO_2$가 계속 상승하는 경우 동적과팽창이 유력한 원인이다.
- 호흡수를 낮추고, 호기시간을 연장하며, 기관지확장제, 스테로이드등으로 기관지경련을 치료함으로써 동적과팽창을 완화시킨다. 또한 약간의 PEEP을 적용하면 호기 중 기도허탈(airway collapse)을 예방하는 데 도움이 될 수 있다.

10계명: 자발호흡시험(SPONTANEOUS BREATHING TRIAL)은 조건이 허락하는 모든 환자들에 대해 진심으로 기꺼이, 매일 시행되어야 한다.

- 어떤 의사라도 어떤 날에 어떤 환자의 발관(extubation)이 가능한지 신뢰할 정도로 예측하는 것은 불가능하다.
- 자발호흡시험(spontaneous breathing trial, SBT)은 기관삽관의 원인(중증 저산소혈증, 혼수상태, 쇼크, 기관지경련)이 해결되면 언제든지 시작해야 한다. SBT는 T-piece 또는 낮은 압력을 설정한 압력보조환기(pressure support ventilation)를 이용하여 시험한다.
- 자발호흡시험결과에 따라 행동하는 것을 두려워 마라. 환자가 준비된 상태로 판단되면 발관(extubation)을 시행하자. 가끔씩 재삽관(reintubation)하는 것은 실패의 표식이 아니다. 만일 당신이 한 번도 환자를 재삽관 해본적이 없다면, 아마도 당신은 발관을 위해 너무 오래 기다리고 있는 것이다.

11계명: 호흡치료사(RT)는 **인공호흡기의 수문장** (KEEPER OF THE VENT)으로서 최대한 존중받아야 한다.

- RT*가 없는 상태에서 인공호흡기의 설정을 변경하지 말아라. 만약 당신이 설정을 변경하고 어떤 결과가 발생하는지를 확인하려면 무엇보다 먼저 RT를 호출하라.

---

* 우리나라의 경우 담당간호사나 전공의 등 환자를 같이 보는 의료진

- 당신 자신이 무엇을 하고 있는지 알고 있겠지만, 당신은 중요한 변화가 있을 때 조정해야 하는, 즉 모든 경보, 센서 등을 어떻게 재설정하는지 아마도 잘 모를 것이다. 이것도 RT의 책임인데, 만약에 당신이 RT에게 통보도 없이 인공호흡기의 설정을 변경하면 그들의 일을 더 힘들게 하는 것이 된다.

05

급성호흡부전

Acute Respiratory Failure

급성호흡부전은 중환자실에 입원하는 가장 흔한 이유 중 하나이다. 대부분 마스크(CPAP, BiPAP) 또는 기관내관(endotracheal tube)을 통해 일종의 양압환기가 필요한 환자들이다. 양압환기는 분명히 중요한 것이다. 소생술의 ABC에서 A와 B가 먼저 나오는 것에는 이유가 있다. 적절한 가스교환(산소가 가장 중요하다)이 없다면 환자는 몇 분 안에 사망할 수 있기 때문이다. 많은 경우 의사들은 급성호흡부전 왜 일어났는지, 또 어떻게 일어났는지 알아내기 전에 우선 치료부터 시작해야 한다. 그렇게 해도 괜찮다! 그러나 일단 환자가 안정되면 원인을 찾는 작업이 시작된다.

Parrillo와 Dellinger의 교과서에 따르면 급성호흡부전은 "호흡기계(The respiratory system)가 환자의 산소화(oxygenation), 환기

(ventilation), 대사요구(metabolic requirements)를 충족시킬 수 없는 상태" 라는 것이다.'[1]

이 정의를 좀더 자세히 살펴보자:

- "호흡기계(The respiratory system)": 분명히 양쪽 폐가 주전 선수이기는 하지만 폐 이외의 즉, 상기도, 흉벽, 심혈관계, 신경계 등의 질환도 심각한 호흡부전을 일으킬 수 있다.
- "산소화요구조건(Oxygenation requirements)": 제1형 호흡부전은 PaO_2가 60 mmHg 미만인 경우로 정의된다. 급성 호흡부전환자를 치료할 때 최우선적으로 해야 할 일은 저산소혈증을 교정하는 것이다!
- "환기요구조건(Ventilation requirements)": 제2형 호흡부전은 $PaCO_2$가 50 mmHg 이상이며, 동시에 pH는 7.30 미만이다. pH는 호흡부전의 급, 만성을 구분하는데 중요하다.
- "대사요구조건(Metabolic requirements)": 이것은 종종 간과되지만, 실제로 폐는 대사항상성(metabolic homeostasis)을 유지하는데 핵심적인 역할을 한다. 호흡기계에 의한 CO_2 배출은 대사장애의 균형을 맞추기 위해 조절된다. 마찬가지로, 산소섭취와 조직으로의 전달은 폐에서 시작된다.
- "환자의(Of the patients)": 아마도 정의에서 가장 중요한 부분일 것이다. 어떤 환자는 "정상" ABGA결과를 보일 수 있지만 여전히 호흡보조가 필요한 경우가 있다. 반대로 다른 환자는 ABGA결과가 나쁠 수도 있지만 어떤 종류의 긴

급 조치도 필요하지 않을 수 있다. 다른 모든 질환들과 마찬가지로, 환자를 보고 병력청취와 이학적검사로부터 시작해야 한다. *미래에는 환자들이 기계에 자신의 몸을 연결하면 이 기계가 즉시 환자의 모든 의학적 문제를 분석하고 문제목록을 의사를 위해 출력해줄지 모른다. 이런 장면을 스타트랙에서 본적이 있다*(역자 주; 유튜브에서 볼 수 있다. Star Trek Medical Scanner, https://www.youtube.com/watch?v=IHd9bYGJtoI). 그러나 이런 기계가 나올때까지 우리는 여전히 병력청취와 이학적검사를 시행해야 한다.

자주 쓰이는 진단검사(Common Diagnostic Testing)

동맥혈가스: 호흡장애의 유무를 판단하고 환자의 대사상태를 평가하여, 호흡부전의 원인을(부분적으로) 판단한다. Co-oximetry는 일산화탄소중독과 메트헤모글로빈혈증을 진단하는데 도움을 줄 수 있다.

흉부X선: 심부전, 폐렴, 기흉, 흉막삼출, 그리고 다른 많은 질병들을 진단한다. 또한 정상인 경우도 도움이 된다. 정상 X선 소견인데 저산소혈증을 보이면 폐색전증을 고려해야 한다.

CT: 흉부구조를 보다 정확히 관찰하기 위해서 또 혈관조영제를 주사하면서 검사하면 폐색전증 및 대동맥박리 등을 진단할 수 있다.

기관지내시경: 흡입손상(inhalational injury), 이물, 상기도폐쇄, 폐렴, 폐포출혈 등을 진단한다.

저산소성 호흡부전(Hypoxemic Respiratory Failure)

저산소혈증은 환자에게 가장 즉각적인 위협을 가한다. 뇌, 심장 등과 같은 생명중추기관들은 에너지 생산에 필요한 산소의 지속적인 공급이 필요하다. 그렇기 때문에 거의 모든 소생술 시행할 때 환자에게 추가산소(supplemental oxygen; 비강캐뉼러, 마스크 또는 기관내관을 통해)를 주는 것부터 시작하는 것이다.

저산소혈증의 병태생리학적 원인은 다음과 같다.

1. 단락(shunt)
2. 환기-관류(VQ)불균형(ventilation-perfusion (VQ) mismatch)
3. 확산장애(diffusion limitation)
4. 사강(dead space)
5. 낮은 FiO_2 (낮은 흡입산소농도, low FiO_2)
6. 낮은 P_B(낮은 기압, low barometric pressure)
7. 폐포저환기증(alveolar hypoventilation)

이 목록에 있는 것들 중 낮은 FiO_2와 낮은 P_B를 배제하기 가장 쉽다. 낮은 FiO_2는 주택화재(화염에 의한 산소의 연소에 의해)와 마취가스사고에서 볼 수 있다. 낮은 P_B는 비행기객실감압(airplane cabin depressurization)이나 고고도(extreme altitude)에 있는 것과 같은 것들을 포함한다. 주위를 둘러보라. 만약 당신이 비행기도 타지 않았고, 건물에 불이 나지도 않았으며, 산정상에

올라간 것이 아니라면 낮은 FiO_2, 낮은 PB 등은 감별진단에서 배제할 수 있다. 좋다! 그러면 위의 7개 원인 중 5개만 고민하면 된다. 폐포단백질증(alveolar proteinosis)과 같은 소수의 질환에서만 확산장애(diffusion limitation)가 정말로 의미가 있다. 저산소혈증의 일반적인 원인은 VQ 불균형이다. 그럼 이제 감별할 원인이 4개로 줄였다.

임상적인 논의에서 수학을 도입해 미안하지만 어쩔 수 없다. 당신이 저산소혈증의 원인을 알고 싶다면, 도구가 있어야 하는데 이 분야에서 중요한 도구 중 하나는 폐포가스방정식(alveolar gas equation)이다. 이 방정식은 폐포내 산소분압(alveolar pressure of oxygen)을 예측한다.

폐포가스방정식(Alveolar Gas Equation)

$$P_AO_2 = [(P_B - P_{H_2O}) \times FiO_2] - (PaCO_2 / RQ)$$

여기서 P_AO_2는 폐포내 산소분압, P_B는 대기압(해발 760 mmHg), P_{H_2O}는 가습된 공기 내 수증기압(47 mmHg), RQ는 산소소비량에 대한 CO_2 생산량의 비율이다. 대부분 사람의 RQ는 0.8이다.

환자가 실내공기를 숨쉬고 있을 때(FiO_2=21%) 공식은 다음과 같다.

$$P_AO_2 = 150 - 1.2(PaCO_2)$$

따라서 정상 $PaCO_2$ 40 mmHg에 대해 P_AO_2는 102 mmHg가 되어야 한다.

폐포의 산소분압(P_AO_2)과 동맥혈의 산소분압(PaO_2) 사이에는 정상적으로 작은 차이가 있다. 이를 폐포-동맥간산소분압차(A-a gradient)라고 하며, 기관지폐문합(bronchopulmonary anastamoses)이 존재하므로 이로 인해 가스교환에 참여하지 않는 작은비율(small fraction)의 혈류가 있어서 발생한다. 정상적인 분압차는 10 mmHg 미만이지만, 나이가 들수록 증가한다. 또한 이 분압차이는 추가적인 산소 투여 시 증가할 수 있다. 100% 산소를 호흡하는 동안 예상되는 폐포-동맥간산소분압차(A-a gradient)는 110 mmHg까지 증가 될 수 있다.

그러면 이것이 왜 중요한가? 기본적인 화학공부로 돌아가 보자. 폐포공간에 있는 기체들의 분압을 모두 합하면 대기압까지 올라갈 수 있다. 따라서 $PaCO_2$가 올라가면 PAO_2는 떨어져야 한다. 말하자면 항아리 안에 들어갈 수 있는 구슬의 수는 한도가 있다는 것이다. PAO_2가 떨어지면 PaO_2도 내려간다. $PaCO_2$가 충분히 높아지면 고탄산혈증만으로도 저산소혈증의 원인이 될 수 있으며 폐포-동맥간산소분압차(A-a gradient)가 정상이라는 것은 폐(환기)나 폐순환(관류)에 문제가 없다는 것을 의미한다. 저산소혈증은 부적절한 환기만으로도 발생한다(순수한 제2형 호흡부전). 폐포-동맥간산소분압차(A-a gradient)가 확대되려면 정맥과의 혼합이 있어야 한다. 정맥과의 혼합에는 세 가지 기전 즉 '단락(shunt), 사강(dead space) 그리고 VQ 불균형'이있다.

단락(Shunt)

단락은 시각화하기가 쉽다. 즉, 우측심장에서 좌측심장까지 혈액이 이동하는 동안 환기가 전혀 이루어지지 않고 통과하는 것을 단락이라고 한다. 이때 V/Q 비는 0이다. 단락은 심장안(intracardiac) 또는 폐안(intrapulmonary)에서 발생할 수 있다. 단락(shunt)에서의 가스교환장애는 환기가 유지되는데도 불구하고 발생하는 심각한 저산소혈증이다. 단락율이 폐혈류량의 40-50%를 초과할 때까지 $PaCO_2$ 상승이 시작되지는 않는다. 정상 단락율은 3% 미만이다.

성인의 심실내단락은 심방중격결함(ASD)과 심실중격결함(VSD)을 포함한다. 아이젠멘거 증후군은 역전단락(shunt reversal)이 있는 VSD(처음에는 좌→우단락으로 시작하지만 우심실비대가 발생하면 우→좌로 단락의 방향이 바뀌면서, 환자는 저산소증이 된다)이다.

폐단락(pulmonary shunt)은 흡입된 가스가 폐포에 도달하는 것을 막는 무엇인가에 의해 발생한다. 예를 들면 무기폐, ARDS, 폐부종, 폐렴으로 인한 경화(consolidation) 등이 대표적이다.

저산소혈증이 잘 교정되지 않는 것이 단락의 특징이다. 단락율(shunt fraction)이 증가하면 고농도의 산소를 흡입하더라도 저산소혈증은 악화된다. 단락율이 50%인 경우에는 100% 산소를 투여하더라도 PaO_2가 60 mmHg를 넘는 경우가 거의 없다. 따라서 단락으로 인한 저산소성호흡부전의 치료에는 보조적인 산소(supplemental oxygen)공급 이상의 방법이 필요하다. 즉 허탈된 폐단위(lung unit)를 동원(recruit)하고 안정시키기 위한 양압환기가 필요하다.

폐동맥카테터를 이용하여 혼합정맥산소함유량을 측정하면 단락율을 계산할 수 있다(공식은 부록 참조). 이 방법을 적용할 때는 환자에게 100% 산소를 흡입하게 하여 VQ 불균형에 의한 저산소혈증의 영향을 없앤 후 측정해야 한다. 방정식은 번거롭고 또한 검체를 채취하기 위해 침습적인 검시가 필요하기 때문에 손쉬운 방법이 있다면 유용하다. 먼저 PaO_2를 FiO_2로 나누어 P/F 비율을 계산한다. 예를 들어 60% 산소를 흡입하는 환자의 PaO_2가 100 mmHg라고 가정하자. 이 환자의 P/F 비율은 100/0.6 또는 167이다. 이와 같이 계산된 P/F 비율이 200보다 작을 경우 단락률이 20% 이상임을 시사한다.

환기관류불균형(VQ mismatch)

정상 심장박출량은 5 L/min이다. 그리고 정상 분당환기량(호흡수 × 일회호흡량)는 4 L/min이다. 따라서 평균 환기-관류 비율은 4/5 또는 0.8이다. 신체의 대사수요가 증가함에 따라 심장박출량과 분당환기량이 증가한다. 반면에 저산소폐혈관수축(hypoxic pulmonary vasoconstriction)에 의해 환기가 잘되지 않는 부위의 폐를 흐르는 혈류도 감소한다.

모든 다른 계통의 장기에서는 저산소증이 혈관확장을 초래한다. 그러나 폐에서는 폐포가 저산소증에 빠지면 폐포주변의 혈관수축이 유발된다. 여기에는 다음과 같은 장점이 있다. 적혈구로 확산-이동하게 되는 산소가 전혀 공급되지 않고 있는 폐단위(lung unit)에 공급되는 혈관을 수축시켜 혈액을 보내지 않는 것이다. 이와 같은 균형이 상실되면 VQ 불균형이 발생하고 저산소혈증이 발생한다. 만성CO_2저류(chronic CO_2 retention)가 동반된 COPD환자(즉 환기장애가 심한)에서 고농도 산소를 투여할 때 호흡산증을 발생하는 이유도 여기에 있다.

어떤 병의 상태는 기도의 구경(caliber)과 긴장도(tone)를 변화시킬 수 있고 따라서 폐포로 가스가 전달되는데 영향을 줄 수 있으며, 이로 인해 폐단위(lung unit)에 상대적으로 혈류공급이 가스전달보다 많아서 VQ 비율이 0.8 미만이 된다. 이와 같은 예로는 천식, COPD, 간질성폐질환, 기관-기관지염, 폐렴 등이 있다. 다른 질환은 환기단위(ventilated unit)에 공급되는 적절한 혈류의 감소를 초래하기도 하는데 이 때는 관류보다 더 많은 환기가 유발되어 VQ 비율이 0.8이상이 된다. 이런 소견은 만성혈전증, 혈관염, 그리고 양압환기 중에 폐포의 과팽창 등에서 관찰할 수 있다. 배위(supine)상태로 기계환기를 시행받고 있는 환자에서 공기는 환자흉곽의 앞쪽에 많이 공급되고 혈류는 중력에 의해 환자흉곽의 뒤쪽인 등쪽에 많이 분포하므로 VQ불균형이 발생한다.

저산소성 호흡부전의 가장 흔한 병태생리는 VQ불균형이며 일반적으로 보조적인 산소투여로 쉽게 교정된다. VQ불균형이 심각한 상태이더라도 100% 산소흡입에 반응한다. 고농도의 산소로도 PaO_2를 교정할 수 없는 경우는 단락(shunt)의 존재를 시사한다.

사강환기(Dead Space Ventilation)

사강(dead space)은 단락(shunt)과 반대되는 개념이다. 즉, 환기는 되나 관류는 전혀 없는 폐포가 사강을 만든다. 따라서 VQ비는 ∞이다. 사강은 대량폐색전증, 정맥공기색전증, 심장박출량이 낮은 경우 등에서 관찰된다. 또한 COPD 환자에서 양압환기를 시행할 때 발생할 수 있는 동적과팽창(dynamic hyperinflation)에 의해 폐포가 심하게 과팽창된 경우에도 볼 수 있다. 사강환기에서 관찰되는 가스교환장애 소견은 저산소혈증과 고탄산혈증(hypercarbia)이다. 정맥혈이 폐포와 전혀 접촉하지 못하기 때문에 CO_2가 배출되지 못한다.

모든 사람에게는 해부학적사강(anatomic deadspace)이 있는데 공기는 들어있지만 가스교환에 참여하지 않는 기관과 큰 기도 내부의 공간을 말한다. 해부학적사강은 보통 150-180 mL로, 신장 1 cm당 약 1 mL정도이다(예; 신장 170 cm인 사람의 해부학적 사강은 약 170 mL). 이 용적은 분당호흡량의 일부로서 정상적으로 일회호흡량의 30% 미만이다(VD/VT ≤ 0.3). 그러나 빠르고 얕은 호흡(rapid shallow breath)인 경우 분당환기량 중 사강이 차지하는 비율이 증가될 수 있다.

예를 들어, 일회호흡량이 500 mL인 환자에서 해부학적사강이 150 mL라면 VD/VT 비율은 0.3이다. 이 환자의 호흡수는 분당 12회이므로 분당환기량은 6 L/min (1.8 L는 쓸모 없는 사강환기량이고 4.2 L만이 폐포환기량)이다. 만일 같은 환자에서 호흡수가 분당 30회로 증가되고 일회호흡량이 200 mL로 감소하면 분당호흡량은 동일하게 6 L이다. 그러나 이 환자의 사강용적은 여전히 매 호흡당 150 mL로 줄어들지 않으므로, 6 L의 분당환기량 중 4.5 L/min (30 × 150 mL)가 가스교환에 참여하지 못하며 최종적으로 폐포환기량이 1.5 L/min로 줄어들게 되는 것을 의미한다. 이때 VD/VT 비율은 현재 4.5 /6= 0.75이다. 이와 같은 상태에서는 폐포환기량이 줄어들면 $PaCO_2$는 상승하고 PaO_2는 낮아지게 된다.

$PaCO_2$가 정상인데 빈호흡과 노력성호흡이 있는 경우에는 일반적으로 사강의 증가와 상대적인 폐포저환기를 시사한다. 이것이 임박한 호흡부전의 가장 초기징후 중 하나이다. 어떤 임상 검사를 통해서도 $PaCO_2$를 정확하게 확인하는 것은 거의 불가능하므로 ABGA는 필수적이다.

저산소혈증 vs. 저산소증(Hypoxemia vs. Hypoxia)

저산소혈증(hypoxemia)은 PaO_2가 60 mmHg 미만인 상태이며 저산소증(hypoxia)은 조직에 산소가 제대로 전달되지 않거나, 산소가 세포내에서 잘 활용되지 못해서 혐기성대사가 발생한 상태를 말한다. 저산소혈증(hypoxemia)이지만 저산소증(hypoxia)은 아닐 수 있고 반대로 저산소증(hypoxia)이지만 저산소혈증(hypoxemia)은 아닐 수도 있다. 물론 저산소혈증(hypoxemia)이면서 저산소증(hypoxia)일 수도 있고 또 저산소혈증(hypoxemia)이 아니면서 저산소증(hypoxia)이 아닐 수도 있다. 충분히 이해했는지 모르겠다.

이 관계를 더욱 잘 이해하기 위해서, 우리는 산소가 조직으로 어떻게 전달되는지를 생각해 봐야 한다. 산소는 헤모글로빈과 결합, 모세혈관계(capillary bed)로 운반되며, 거기서 산소는 세포내 환경으로 전달된다. 산소가 떨어져 나온 헤모글로빈은 CO_2와 결합하여 CO_2를 폐로 운반하여 배출한다. 혈류 내 산소의 97%가 헤모글로빈에 결합되어 있기 때문에 혈장내 산소분압보다 산소가 결합된 헤모글로빈의 비율에 집중하는 것이 더 중요하다.

산소함유량방정식(Oxygen Content Equation)

$$CaO_2 = 1.34(Hgb)\,(SaO_2) + 0.003(PaO_2)$$

여기서 CaO_2는 동맥혈의 산소함유량이고 mL O_2/dL로 표현되며, Hgb의 단위는 g/dL이고, SaO_2는 동맥혈 산소포화도이며, PaO_2는 혈장의 산소분압이다.

헤모글로빈 15 g/dL, SaO_2 100%, PaO_2 100 mmHg 인 정상인에서 CaO_2는 20.4 mL O_2/dL이다. 혈장에 용해된 산소는 0.3 mL O_2에 해당하는데, 이는 전체동맥혈 산소함유량의 1.5% 미만이다.

산소공급(oxygen delivery)은 CaO_2에 심장박출량을 곱한 것이다. CaO_2는 dL 단위로 측정되고 심장박출량은 L단위로 측정되기 때문에 10을 곱해야 한다. 심장박출량이 5 L/min인 정상인의 산소공급(DO_2)은 1,020 mL O_2/min이다.

위의 방정식을 보면 산소공급을 좌우하는 가장 중요한 요인은 심장박출량, 헤모글로빈 함량, 동맥산소포화도라는 것을 알 수 있다. PaO_2의 역할은 아주 적다.

4가지 형태의 저산소증(Four Types of Hypoxia)

저산소증(Hypoxemic): 낮은 SaO_2에서는 조직에 전달되는 O_2가 감소한다.

울혈(Stagnant): 낮은 심장박출량 때문에 100% 산소를 호흡해도 조직 저산소증이 발생한다.

빈혈(Anemia): 조직으로 산소를 운반할 적혈구가 부족하다.

세포변병(Cytopathic): 심장은 조직으로 충분한 산소를 공급하지만, 어떤 장애(예를 들어 폐혈증쇼크, 시안화물중독, 살리실산염 중독)가 발생한 경우 효율적인 산화인산화(oxydative phosphorylation)가 억제된다.

고탄산혈증호흡부전(Hypercarbic Respiratory Failure)

제2형, 즉 고탄산혈증호흡부전은 체내에서 이산화탄소를 제거할 수 없기 때문에 발생한다. 저산소혈증(hypoxemia)은 저환기(hypoventilation)때문에 발생할 수 있지만 보충산소(supplementary oxygen)흡입으로 교정할 수 있다. 고탄산혈증호흡부전(hypercarbic respiratory failure)의 원인을 확인하는 가장 좋은 방법은 체내에서 CO_2의 제거를 조절하는 여러 다양한 방법을 생각해보고 이 시스템 안의 고장을 찾는 것이다.

보통, 우리 몸은 매우 효율적으로 $PaCO_2$를 정상적으로 유지한다. 숙면 중에도 $PaCO_2$는 기껏해야 2-3 mmHg 정도의 변동을 보인다. $PaCO_2$의 균형은 연수(medulla oblongata)에 있는 호흡중추에서 횡격막신경을 통해 횡격막의 수축을 일으켜 유지된다. 고탄산혈증호흡부전(hypercarbic respiratory failure)이 발생하면 신경계의 신호전달 경로상의 문제인지 또는 호흡기계의 바람통(bellows)의 문제인지 국한시킬 수 있다. 당신 스스로에게 물어보라. 어디에 원인이 있는지를...

고탄산혈증의 위치별 원인들(Localizing the Cause of Hypercapnia)

뇌간(Brain stem): 약물 과다복용, 외상, 뇌내 또는 지주막하출혈, 감염, 비만성저환기 증후군, 간 또는 요독성뇌병증, 연수성회백척수염?(bulbar poliomyelitis?)

척수(Spinal Cord): C4 이상의 병변, 중심척수혈종(central cord hematoma), 외상성 손상, 고위척추마취(high spinal anesthesia), 소아마비, 경막외농양(epidural abscess), 횡단척수염?(transverse myelitis?)

말초신경(Peripheral Nerves): 횡격막신경마비, 진드기마비증(tick paralysis), 급성염증성탈수초성다발신경증(acute inflammatory demyelinating polyneuropathy, 길랭-바레증후군), 급성간헐적포르피린증(acute intermittent porphyria), 중금속중독?(heavy metal poisoning?)

신경근접합(Neuromuscular Junction): 보툴리누스중독(botulism), 중증근무력증(myasthenia gravis), 신생물딸림증후군(paraneoplastic syndrome), 신경근육차단약물?(neuromuscular blocking drugs?)

근육(Muscles): 근이영양증(muscular dystrophy), 다발성근염(polymyositis), 피부 근염(dermatomyositis) 갑상선기능저하증(hypothyroidism), 스테로이드유발근육병증(steroidinduced myopathy), 중환자질환다발병증?(critical illness polymyopathy?)

흉곽(Thoracic Cage): 척추후만증(kyphoscoliosis), 흉곽성형술(thoracoplasty), 병적비만, 동요가슴(flail chest), 복부구획증후군(abdominal compartment syndrome), 강직성 척추염(ankylosing spondylitis), 둘레화상?(circumferential burn?)

폐(Lungs): COPD? 동적과팽창?(Dynamic hyperinflation?)

상부기도폐쇄(Upper Airway Obstruction)

상부기도가 막히면 호흡부전이 발생할 수 있다. 응급치료가 필요한 상부기도폐쇄의 흔한 원인은 외상, 감염(편도주위농양, 인두후농양), 이물질흡입, 흡입손상, 혈관부종(angioedema) 등이다. 협착음(stridor)는 성문(glottis)이나 그 위에서 기류가 막힐 때 들리는 소리이고, 천명음은 보통 하부기도폐쇄를 의미한다. 항상 기관삽관을 고려해야 하며, 가급적 늦지 않게 즉 환자의 기도가 완전폐쇄의 소견을 확실이 보이기 전에 삽관을 고려해야 한다.

대사조절(Metabolic Control)

CO_2는 세포대사의 주요 부산물이다. 대부분 환기조절장애 중 하나로 인해 고탄산혈증이 발생하는 경우가 가장 흔하지만, 때때

로 CO_2생산량이 호흡기계의 용량을 초과해서 발생할 수 있다. 갑상샘중독발작(thyroid storm), 악성고열(malignant hyperthermia), 시안화물(cyanide)이나 살리실산(salicylate)중독, 그리고 대량의 분해대사(massive catabolism)가 있을 때 발생할 수 있다. 이때는 기계환기보조가 필요할 수 있다.

혈류역학적 불안정성과 쇼크는 호흡부전을 일으킬 수 있는데 이는 패혈증, 외상, 화상 등에서 볼 수있는 대사과다증(hypermetabolism) 때문에 호흡부전이 발생한다. 횡격막과 호흡보조근을 공급하던 혈류가 내장이나 간순환쪽으로 단락(shunted away)이 발생하여 젖산산증이 유발될 수 있다. 또한 호흡일이 과도한 경우에는 심근허혈을 악화시킬 수 있다. 쇼크상태에서 대사산증이나 심근허혈이 악화되는 것은 호흡부전이 임박했음을 의미하는 징후로 기계환기보조를 적극적으로 고려해야 한다.

중증대사산증 환자에서 급성호흡부전을 치료할 때 중요한 부분은 대사장애를 보상하기에 충분한 분당환기량을 제공하는 것이다. 허혈성장환자(ischemic bowel)에서 중탄산염 4 mEq/L 이며 기관삽관이 필요한 경우, 호흡보상의 예상치인 $PaCO_2$ 14 mmHg가 될 수 있을 정도로 분당환기량을 높게 설정해야 한다. 만일 $PaCO_2$를 일반적인 "정상범위"인 35-45 mmHg가 되도록 인공호흡기를 설정하게 되면 pH가 곤두박질치면서 심정지가 발생할 수 있다.

급성호흡부전의 치료(Treatment of Acute Respiratory Failure)

가능하면 급성호흡부전의 기저원인을 찾아 치료하는 것이 가장 중요하다. 진단과정 및 치료 중이더라도 환자에게 호흡보조를 지체해서는 안 된다. 비침습성 호흡보조 치료에는 보충적 산소흡입과 기관지확장제 흡입이 포함된다. CPAP 또는 BiPAP과 같은 마스크를 이용한 비침습성환기를 통해 양압환기를 제공할 수 있다. 이 방법은 특히 과탄산혈증을 동반한 COPD와 폐부종을 동반한 심부전에서 효과적이다. ARDS, 다중폐엽의 폐렴(multilobar pneumonia), 신경근육질환, 심장성 쇼크와 같이 좀 더 중증의 호흡부전을 보이는 경우에는 대개 삽관 및 통상적인 기계환기치료가 필요하다.

호기말양압(PEEP)으로 단락률(shunt fraction)을 감소시키는 것을 제외하고는 기계환기는 직접적인 의미에서 치료적 중재(therapeutic intervention)는 아니다. 환기의 목표는 기저원인 질환이 치료되거나 더 흔하게는 저절로 해결되는 동안 적절한 가스교환과 대사기능을 유지하는 것이다. 따라서 의사들은 호흡부전의 가역적 원인을 치료하고 환자의 추가적인 손상을 최소화하는 데 초점을 맞춰야 한다. 인공호흡기로부터 환자를 이탈할 수 있는 상태가 되면 환자가 그 사실을 당신에게 알려줄 것이다.

06

기계환자 중 환자감시

Monitoring the Ventilated Patient

중환자실에는 시시각각으로 상태가 변하는 중환자를 감시하는 것이 중환자실의 핵심요소 중 하나이다. 앞서 말했듯이 환자의 호흡상태는 임상검사, 흉부X선, 동맥혈가스 검사로 평가할 수 있다. 그러나 이런 것들은 지속적으로 시행하지 않고도, 환자상태가 변화 또는 악화될 때 이를 즉시 알 수 있는 도구가 필요하다. 현재 맥박산소측정법(pulse oximetry)은 환자의 산소화상태를 감시하기 위해 널리 사용된다. 파형호기말이산화탄소분압측정법(capnography) 또한 어느 정도는 핵심 정보를 제공할 수 있고, 또 매우 유용하지만 아직까지는 기계환기 중인 모든 환자들에게서 사용되고 있지 않다.

맥박산소측정법(Pulse Oximetry)*

맥박산소측정법은 두 개의 파장 즉, 660 nm의 적색파장과 940 nm의 적외선을 사용한다. 산소화헤모글로빈(oxygenated hemoglobin)은 적외선을 선택적으로 흡수하고 적색파장이 조직을 통과할 수 있게 해준다. 반면에 탈산소화헤모글로빈(deoxygenated hemoglobin)은 적외선을 흡수하지는 못하며 적색파장을 흡수한다. 손가락 끝, 귓불, 이마와 같이 혈관분포가 많지만 얇은 조직상(bed of tissue)에 센서를 부착하면 광흡수비율(rate of light absorption)을 측정할 수 있다.[3] 이것을 변환하여 헤모글로빈의 산소포화도(SpO_2)라고 표시된다. 센서가 제대로 부착되었고 적절한 혈류가 있다면 동맥혈가스분석기(ABGA)로 측정한 SaO_2와 거의 같을 정도로 정확하다.

쇼크나 페닐에프린 또는 에피네프린과 같은 혈관수축제 등으로 관류(perfusion)가 감소한 상태에서는 맥박산소측정(pulse oximetry)이 부정확한 경우가 있다. 일반적으로 저관류상태 또는 혈관수축인 경우에는 SpO_2가 부정확하게 측정되며 이때는 적절하지 못한 모양의 체적변동그래프(plethysmograph)를 보여준다. 즉, 파형이 뚜렷하게 그려지지 않고 또 환자의 맥박과도 연관이 없다. 또한 SpO_2는 심한 저산소혈증(SaO_2 <80%)일 때, 특히 진한 색소성피부(darkly pigmented skin)일 때 정확도가 떨어진다.

이상혈색소증(dyshemoglobinemia)은 SpO_2의 정확도에 영향

---

*참고: https://www.howequipmentworks.com/pulse_oximeter/

을 미칠 수도 있다. 일산화탄소는 헤모글로빈에 강하게 결합하고 적외선을 쉽게 흡수해 실제보다 높은 수치의 잘못된 SpO_2 (98-100%, 실제로는 심한 동맥저산소혈증이 있는데도)를 보인다. 반면에 메트헤모글로빈(methemoglobin)은 적외선과 적색광 모두에 영향을 미치므로, 경증 메트헤모글로빈혈증에서는 SaO_2에 비해 SpO_2가 낮게 측정된다. 반면에 중증메트헤모글로빈혈증(> 35%)에서는 PaO_2나 SaO_2와 관계없이 SpO_2가 80-85%로 측정되는 경향이 있다.

이상혈색소증(dyshemoglobinemia)을 진단하고 실제 PaO_2와 SaO_2가 얼마인지 알 수 있는 최선의 방법은 일산화탄소-산소측정법(CO-oximetric blood gas analysis)이다. Massimo*는 추가적인 광파장(light wavelength)을 이용하여 옥시헤모글로빈(oxyhemoglobin), 카복시헤모글로빈(carboxyhemoglobin), 메트헤모글로빈(methemoglobin)위 비율을 정확하게 측정하는 비침습성맥박산소측정기(noninvasive pulse oximeter)를 개발했다.

SaO_2 (ABGA로 측정) 결과보다 SpO_2 결과가 더 정확한 상황이 한 가지 있다. 백혈병에 의해 과다백혈구증(hyperleukocytosis, WBC> 50K)이나 아주 심한 혈소판증가증(thrombocytosis, 혈소판 수치> 1M)에서는 활성화된 백혈구 또는 혈소판이 주사기내 혈액의 산소를 계속 소비하게 되므로 ABGA분석기를 통해 측정된 PaO_2와 SaO_2는 실제보다 낮게 측정된다. ABGA샘플을 얼음 속에 냉각시켜 이동 후 검사하면 이런 오차를 줄일 수 있지만, 일

---

* 참고: https://www.masimo.com/

반적으로 WBC나 혈소판수가 매우 높을 때는 SpO_2가 SaO_2보다 정확하다.

부정확한 맥박산소측정의 원인(Causes of Inaccurate Pulse Oximetry Measurements)

일산화탄소중독(Carbon Monoxide Poisoning): 심한 동맥저산소혈증임에도 불구하고 SpO_2는 높은 수치(98–100%)로 측정된다.

메트헤모글로빈혈증(Methemoglobinemia): 심한 메트헤모글로빈혈증에서는 SpO_2는 SaO_2나 PaO_2의 수치와 상관없이 80–85%로 측정된다.

혈관수축(Vasoconstriction): SpO_2가 실제보다는 낮게 측정될 수 있으며, 파형은 대개 불량하고 환자의 맥박과 일치하지 않는다.

어두운 색소 피부(Darkly Pigmented Skin): 부정확한 SpO_2결과를 보일 수 있으나, SpO_2가 $< 80\%$인 경우를 제외하고는 거의 볼 수 없다.

호기말이산화탄소분압측정술(Capnography)*

호기말이산화탄소분압측정법(Capnometry)은 배출된 이산화탄소의 수치를 측정하는 것으로, 보통 mmHg로 표시된다. 호기말이산화탄소분압측정술(capnography)은 같은 정보이지만 그래프의 형태로 표시된다. 추가적으로 호기말이산화탄소분압측정술(capnography)은 환기패턴을 보여주며 중환자실 환자감시장치로 점차 사용이 확대되고 있다.

이산화탄소는 주된 대사산물이며, 호기가스 중 이산화탄소분압은 신체의 순환 및 환기 상태를 평가하는데 사용할 수 있다. 대부분의(60-70%) 이산화탄소는 중탄산염이온의 형태로 혈류를 따라 운반되는데 적혈구의 탄산탈수효소(carbonic anhydrase)가 이 과정에 관여한다. 이산화탄소의 약 20-30%는 단백질과 헤모글로빈에 결합되어 운반된다. 나머지 5-10%의 이산화탄소가 용존이산화탄소의 형태로 존재하며 이를 측정한 것이 $PaCO_2$이다. $PaCO_2$는 환기상태를 측정하는 일반적인 방법이다. 호기말이산화탄소분압측정술(capnography)은 호기말CO_2 (E_TCO_2)의 측정치를 제공할 수 있으며, 이를 $PaCO_2$와 함께 사용하면 많은 정보를 얻을 수 있다.

---

* 참고; https://www.howequipmentworks.com/capnography/

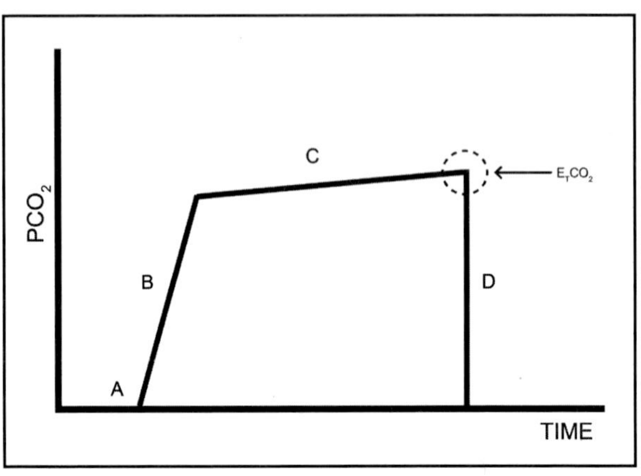

호기말이산화탄소분압측정술 분석(Breaking Down the Capnograph)

A. 호흡기준치(Respiratory Baseline): 이 수치는 0이 되어야 한다. 호기말이산화탄소분압측정술(capnography)의 이 부분은 CO_2가 0인 공기, 즉 기관-기관지나무(tracheobronchial tree)안의 환기되지 않는 사강의 공기가 배출되었다는 것을 보여준다. 기준치가 0이상으로 상승한 경우는 호기가스 중 CO_2가 재호흡 됐음을 나타낸다. 기저선(baseline)과 E_TCO_2가 상승한 경우, 이는 보통 CO_2센서가 오염되었음을 의미한다.

B. 호기 중 상승(Expiratory Upstroke): 이는 사강안의 가스와

근위부폐포(proximal acini)에서 나온 호기가스가 혼합되어 CO_2가 빠르게 배출되는 상태이므로 급경사(steep slope)를 보여야 한다. 경사가 덜하면(less steep) CO_2가 근위부폐포에서 CO_2센서까지 이동하는데 걸리는 시간이 길어짐을 의미한다. 이같은 소견은 기관지경련(bronchospasm)과 기도분비물로 인해 기관내관(endotracheal tube)이 불완전하게 폐쇄될 때 볼 수 있다.

C. 호기고원(Expiratory Plateau): 이것은 수평이거나 거의 수평이어야 한다. 고원의 종점은 E_TCO_2이다. 이 단계는 폐로부터 나오는 CO_2의 최대환기를 나타낸다. 위로 기울어진 고원(up-sloping plateau)은 COPD, 부분 기도폐쇄 또는 기관내관의 폐쇄등에서 볼 수 있는 불완전한 폐포환기(incomplete alveolar emptying)에서 종종 볼 수 있다.

D. 흡기 중 하강(Inspiratory Downstroke): 네 번째 단계는 이산화탄소가 없는 공기를 흡입할 때를 나타낸다. 만약 인공호흡기계나 cuff의 누출은 이 단계를 연장시킬 수 있다.

호기말이산화탄소분압측정술(Capnography)의 임상적 이용

호기말이산화탄소분압측정술(capnography)을 해석하는 첫 번째 단계는 파형의 유무를 확인하는 것이어야 한다. 파형이 없다면 다음 두 가지 중 하나를 의미한다.

1. 환기불능(식도내 삽관, 기관내관 또는 기관절개술관의 이탈, 관의 폐쇄, 무호흡). **이것은 응급상황이다. 즉시 문제를 해결하라!**
2. 기계적 고장—장비를 수리한다! 그러나, 이것은 당신이 1번 원인들(즉, 환기불능의 원인들)의 가능성을 철저히 배제한 이후에만 생각할 수 있다. CO_2센서는 점액분비물, 혈액 또는 물 등에 오염되면 오작동 할 수 있다. 다시 한 번 강조하지만 장비고장은 심각한 다른 원인들(#1. 환기불능)을 배제한 다음에 할 수 있는 진단이다.

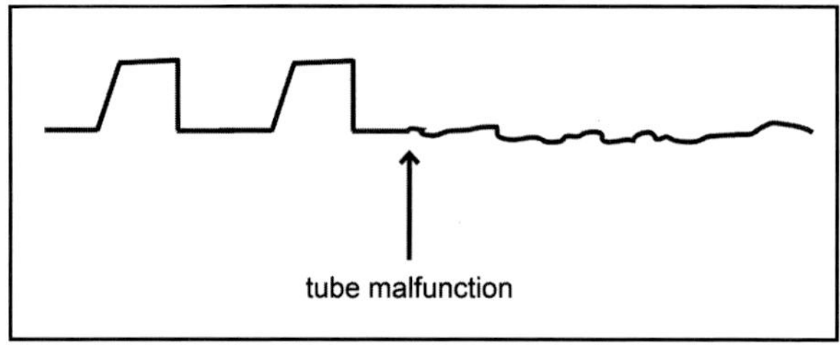

호기말이산화탄소분압측정술(capnography)의 파형이 없어지는 경우는 기관내관 또는 기관절개술관의 이탈, 관의 폐쇄, 센서가 분비물등으로 오염된 경우 발생할 수 있다. 어떤 경우이든, 이런 원인들이 배제되기 전까지는 관(endobronchial tube, tracheostomy tube, etc)의 기능이 없어졌다고 가정해야 한다.

E_TCO_2는 절대로 $PaCO_2$를 넘지 못하며 또 거의 일치하지 않

는다는 점을 명심하자. 따라서 E_TCO_2는 동맥혈가스검사를 대체하는 것이 아니다. E_TCO_2가 $PaCO_2$를 절대로 넘지 못한다는 것을 이해하는 것은 매우 도움이 된다. 즉, E_TCO_2가 얼마가 되든지 최소한 $PaCO_2$는 E_TCO_2 보다는 높다는 것을 의미한다. 조금 더 높을 수도 있고, 훨씬 더 높을 수도 있지만, 어쨌든 더 높다.

예를 들어, 환자의 E_TCO_2가 60 mmHg이라면 환자의 $PaCO_2$가 최소한 그 이상이라는 것을 알 수 있다. 다시 말하면 65 mmHg 일수도, 105 mmHg일 수도 있지만 적어도 60 mmHg 이상이라는 것이다. 따라서 E_TCO_2가 60 mmHg인 상황에서 만약 환자의 $PaCO_2$를 35-40 mmHg 범위안에서 유지하는 것이 중요하다면 인공호흡기의 분당환기량을 증가시켜야 한다.

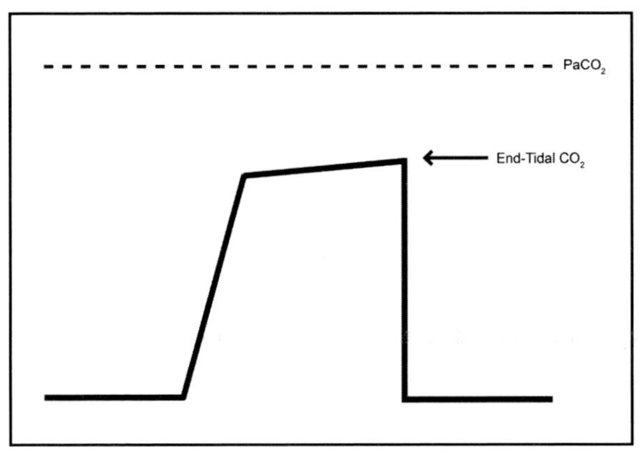

E_TCO_2는 절대로 $PaCO_2$보다 높을 수 없다.

다음 단계는 E_TCO_2와 $PaCO_2$를 비교해 보는 것이다. 정상적인 동맥-폐포 CO_2 차이(arterial-alveolar CO_2 gradient)는 보통 3-5 mmHg이다. 이 차이가 커지면 폐안에 환기-관류 불균형을 보이는 부위가 있다는 것을 의미한다. $PaCO_2$와 E_TCO_2 사이에 큰 차이가 있는 경우 다음과 같은 상황을 고려해 보라.

1. 심장의 기능이 저하되어 관류량이 낮아짐(low perfusion)
2. 폐색전증에서 사강(dead space)이 증가함
3. ARDS
4. COPD, 폐염 또는 기타 폐의 병적인 상태로 인한 V/Q 불균형
5. 저혈류량증 이나/또는 출혈
6. 동적과팽창(dynamic hyperinflation)에 의한 공기걸림(air trapping)
7. 과도한 인공호흡기의 압력에 의한 폐포의 과다팽창

동맥-폐포 CO_2 차이의 추세(trends in the gradient)를 확인하는 것 자체도 중요하다. 어제 $PaCO_2$- E_TCO_2 차이가 4 mmHg였던 환자가 오늘 $PaCO_2$- E_TCO_2 차이가 10 mmHg로 증가했다면 환자 상태에 중요한 변화(악화)가 있음을 의미한다.

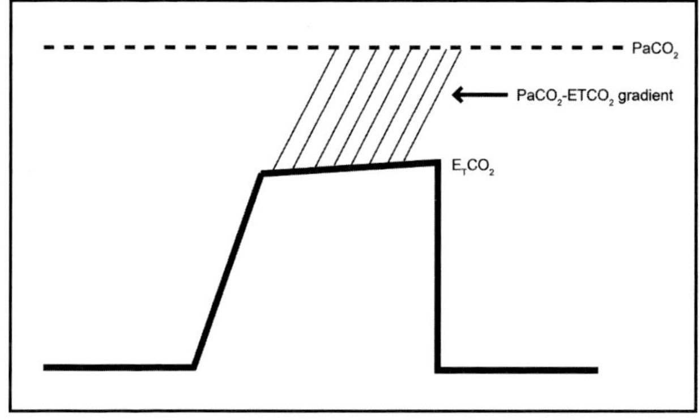

$PaCO_2$와 $ETCO_2$ 사이의 차이는 사강환기량을 나타낸다. 그 차이는 보통 <5 이다.

E_TCO_2의 파형과 진폭을 관찰해보라. 파형은 뚜렷하게 유지되는데 진폭이 낮아졌다면 대개 사강환기량이 갑자기 증가되었음을 의미한다. 심정지 상태라 하더라도 폐안의 CO_2가 전부 빠져나오지 못한 상태이므로 호기고원(expiratory plateau)의 E_TCO_2가 0으로 떨어지지는 않는다. 특히 파형이 비정상적으로 보이면서 E_TCO_2가 0 또는 0에 가까운 결과를 보인다면 일반적으로 잘못된 위치에 삽입된 기관내관(ETT, endotracheal tube), 관의 폐쇄 또는 장비불량을 의미한다. 진폭이 점차 감소하는 파형은 CO_2생성감소(예; 저체온증) 또는 폐로 전달되는 CO_2의 감소(예; 심부전)를 의미한다. 또한 E_TCO_2가 급격히 증가하는 경우는 CO_2생산량이 급증할 때 발생한다. 이같은 현상은 고체온증(hyperthermia), 경련발작 후, 중탄산염 투여 후, 허혈성 사지의 재관류(reperfusion of an ischemic limb) 또는 심정지 후 ROSC (return of spontaneous circulation) 등에서 발생할 수 있다.

심한 기관지경련과 기도저항이 증가하는 다른 원인이 있을 때 호기 중 폐포의 공기가 완전하게 빠져나오지 못한다. 이것은 호기말이산화탄소분압측정술(capnography)이 평상시와 같이 수평을 유지하지 못하고, 그 대신 상어지느러미처럼 보이는 것을 의미한다. 이런 그래프를 보이는 경우 환자의 기도저항이 높은지 확인하라.

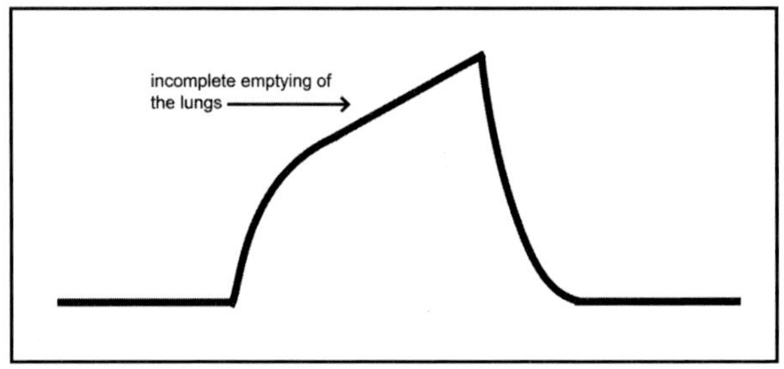

위의 그래프와 같이 호기말이산화탄소분압측정(capnograph)의 파형이 상어지느러미처럼 보이는 것은 기관지경련 환자에서 관찰된다. 폐포의 공기가 완전히 배출되지 못하기 때문에 capnograph의 곡선이 수평을 유지하지 못한다.

심폐소생술 중 호기말이산화탄소분압측정술(Capnography)

심폐소생술은 종종 비과학적이고, 순서가 무시되기도 하는 시술이다. 호기말이산화탄소분압측정술(capnography)은 심폐소생술의 여러가지 중재적 시술의 효과를 평가하기 위한 저렴하고 비침습적이며 또 객관적인 방법이다. 심정지상태에서는 폐동맥혈류가 차단됨으로 인하여 $PaCO_2$와 E_TCO_2사이의 큰 차이가 발생한다. 심폐소생술 후에 $PaCO_2$와 E_TCO_2의 차이가 E_TCO_2의 상승에 의해 작아지는 것은 폐순환이 증가하였고 따라서 심박출량이 증가했다는 것을 의미한다. 인체와 동물연구에서 ROSC (return of spontaneous circulation)의 주요 예측 변수인 관상동맥관류압력(coronary perfusion pressure)과 E_TCO_2사이에는 상관관계가 밀접함을 보여주었다. 또한 E_TCO_2가 뇌혈류와도 유의한 상관관계가 있는 것으로 나타났다.

E_TCO_2의 일시적인 증가는 중탄산염과 고용량 에피네프린 투여시에도 관찰할 수 있다. 자발순환(ROSC)이 돌아오면 E_TCO_2가 갑자기 증가하며, 보통 40 mmHg 이상으로 증가한다.

심폐소생술에서 호기말이산화탄소분압측정술(capnography)을 사용하는 것의 중요한 한 가지 장점은 흉부압박의 효과를 평가하는 능력이다. E_TCO_2가 감소하는 것은 심폐소생술 시행자의 피로 때문일 수 있다. 또한 E_TCO_2는 흉부 압박의 강도와 빈도(depth and frequency)를 안내하는 데도 사용될 수 있다. E_TCO_2는 객관적인 수치이므로 보통 대퇴정맥의 역행정맥혈류를 맥박촉지(pulse palpation)해서 확인하는 것보다 신뢰도가 훨씬 높다. 만약 E_TCO_2가 10 mmHg 미만일 경우, 미국심장협회(American Heart Association)의 ACLS 지침에서는 흉부 압박을 최적화하여 심폐소생술의 질을 향상시키도록 노력할 것을 제안하고 있다. 추가로 식별 가능한 파형과 E_TCO_2는 유사 전기기계적 분리(pseudo-electromechanical dissociation)를 의미하며, 이때는 승압제와 수액보충으로 치료해야 한다.

E

ETCO$_2$의 변화들을 해석

ETCO$_2$; 증가, PaCO$_2$; 증가하는 경우
진정과다, 호흡구동력 저하, 신경근육약화등에 의한 **폐포저환기**
고체온증, 갑상샘항진증, 재관류, 심정지 후 ROSC 등으로 인한 **CO_2 생산량 증가**

ETCO$_2$; 감소, PaCO$_2$; 감소하는 경우
통증, 초조, 발열 등에 의한 **폐포과환기**

ETCO$_2$; 감소, PaCO$_2$ 변화 없거나 또는 상승하는 경우
폐색전증에 의한 폐사강량의 증가, 심장기능 악화, 출혈, 저혈류량증 또는 동적과팽창에 의한 auto-PEEP

07

일자무식의 동맥혈가스 분석

Arterial Blood Gas Analysis for the Compleat Idiot

또는
어려운 개념을 쉽게 이해하여 교수님들에게 깊은 인상을 주고
동료의사들의 부러움을 사는 방법(정말로 그렇다.)!

How to impress your attendings and become the envy of your peers by making difficult concepts seem easy (which they really are)!

복잡한 산-염기장애를 다루는 것보다 전공의들과 의대생들에게 골치 아픈 일은 거의 없다. 의학교과서에서는 로그곡선(logarithmic curves), "K" factors, 용액들의 물리화학적 특성, 그리고 무시무시한 Henderson-Hasselbach 방정식 등을 여러 페이지에 걸쳐 설명하기 때문에 보통 도움이 되지 않는다.

산-염기 문제를 풀기 위해 당신이 해야 할 첫 번째 일은 RELAX하는 것이다. 정말로 그렇게 어렵지 않다! 생리학에서 신장학 시험을 잘 못 봤더라도 걱정하지 말아라. 생화학의 산-염기 부분을 포기했더라도 상관없다. 모든 K'a, 로그, 복잡한 방정식을

머리속에 열심히 주입할 필요는 없다! 조금 더 중요한 것을 배워야 한다. 임상적인 산-염기문제를 푸는 데에는 생리학에 대한 기본적인 이해와 몇 가지 간단한 방정식, 그리고 단계별로 접근하면 된다. 있어야 할 가장 중요한 것은 충실한 병력청취와 신체진찰 그리고 약간의 상식이다.

산-염기 문제에 접근하는 방법에는 여러 가지가 있는데, 이 책에서 설명하는 것은 결코 권위적이지 않다. 따라서 스스로 쉽게 이해하고 사용할 수 있는 방법을 사용하면 된다. 추천하고 싶은 한 가지 좋은 책은 *'Acid-Base, Fluids, and Electrolytes Made Ridiculously Simple; 알기 쉽게 이해하는 산 염기 수액 그리고 전해질 RICHARD A. PRESTON 지음, 강석영 옮김, 대한의학서적'* 이다.

산-염기 문제를 다룰 때 기억해야 할 가장 중요한 것은 모든 것을 환자의 임상상황에 맞춰보는 것이다! 환자와 관계없이 마치 진공 속에서 산-염기 문제들을 해석하는 것은 ABGA검사를 왜 시작했는지 그 이유를 완전히 무시하는 것과 같다. 만약 ABGA해석이 임상적으로 의심하는 것과 일치하는 것처럼 보인다면, 매우 훌륭한 것이다! 그러나 만약 그것이 완전히 다르다면, 두 가지 원인 즉 '검사실오류' 또는 '오진'을 생각해야 봐야한다.

다음에 설명하는 ABGA해석방법은 3단계로 구성된다. 산-염기문제를 풀 때마다 이 3단계을 모두 확인하는 것이 중요하다.

1단계: 1차 장애가 무엇인지 결정한다(Determine the Primary Disorder)

1차 장애가 무엇인지 확인한다. 이를 위해 동맥혈가스검사가 필요하다. 우선 pH부터 확인해 본다. 정상 pH는 7.35 - 7.45이며, 기준선은 7.40이다. pH가 7.35 미만일 경우 환자는 산혈증이다. 즉, 혈류의 순전하(net charge)가 산성이다. 다음으로는, $PaCO_2$를 확인한다. $PaCO_2$가 40 mmHg(일반적으로 35 mmHg 미만) 미만일 경우, 문제의 원인은 대사산증이다. 이 환자는 산성 이산화탄소(acidic carbon dioxide)를 제거하기 위해 과호흡을 하고 있는 상태이다. 만약 $PaCO_2$가 40 mmHg(보통 45 mmHg)보다 크다면 1차 장애는 호흡산증이다. CO_2가 저류(retention of CO_2)되면 환자는 산성이 된다.

환자가 알칼리성(pH가 7.45 이상)인데 $PaCO_2$ (35 mmHg 미만)가 낮으면 1차 장애가 호흡알칼리증이라는 뜻이다. 그런데 만일 $PaCO_2$가 45 mmHg 보다 크면 1차 장애는 대사알칼리증이고 환자는 pH를 조절하기 위해 저환기(hypoventilation) 상태가 될 것이다.

인체내에 발생한 산-염기장애를 정상 범위까지 보상이 가능한 경우는 거의 없다는 것을 잊지 말아라. 따라서 2단계로 넘어가야 한다.

2단계: 보상 확인(Check for Compensation)

보상이 적절한가? 1차 장애가 대사장애인 경우, 항상성(homeostasis)을 유지하기 위해 환자는 과호흡(hyperventilation)이나 저호흡(hypoventilation) 상태가 된다. 이것을 호흡보상(respiratory compensation)이라고 한다. 다음 단계는 보상이 적절히 이루어 졌는지 확인해봐야 한다. 보상이 적절히 이루어지지 않았다면 1차 장애 외에도 또 다른 장애가 존재하는 것이다. 보상공식을 확인하기 위해서는 $PaCO_2$와 혈청 HCO_3가 필요하다. 만약 혈청샘플의 HCO_3 결과와 ABGA의 결과가 다르다면 혈청샘플 결과로 결정한다. 그 이유는 ABGA의 HCO_3결과는 계산해서 나오는 것이고 혈청샘플의 HCO_3 결과는 실측치이기 때문이다. 정상 HCO_3는 반듯이 24이어야 한다.

대사산증에 대한 보상:
예상 $PaCO_2 = (1.5 \times HCO3) + 8$

예를 들어 pH 7.22, $PaCO_2$ 27 그리고 HCO_3 14인 경우;

1차 장애가 대사산증(낮은 pH, 낮은 $PaCO_2$이므로)인 것을 알 수 있다. 보상공식에 따르면, 예상 $PaCO_2 = (1.5 \times 14) + 8 = 29$ mmHg이며 실제 측정한 $PaCO_2$는 27 mmHg인데 예상치의 ± 약 2는 "오차범위(fudge factor)로 감안하여 정상으로 판단한다. 따라서 이 환자는 대사산증 상태인데 호흡보상이 적절히 이루어진 상태(metabolic acidosis with appropriate respiratory compensation)이다. 이 환자가 "보상된 호흡알칼리증(compensatory respiratory alkalosis)" 이라고 말하지 말아라. 알칼리증이란 표현은 병적인 과정을 의미하기 때문이다. 이 환자의 경우 보상작용은 산증(acidosis)에 대한 지극히 정상적인 반응이다.

또 다른 예: pH 7.12, $PaCO_2$ 32 그리고 HCO_3 10인 경우;

이 환자 또한 1차 장애는 대사산증이다. 그러나 보상공식에 의해 계산된 예상 $PaCO_2$= (1.5 x 10) + 8 = 23 mmHg이나 실제로 측정한 환자의 $PaCO_2$는 32 mmHg이다. 이는 예상 PCO_2보다 훨씬 높기 때문에 호흡산증이 동시에 존재할 가능성을 시사한다. 그렇다면 진단은? 복합 호흡 및 대사산증(combined respiratory and metabolic acidosis)이다. 약물 과다복용이 원인일까? 아니면 호흡부전이 동반된 패혈증 환자인가? 다시 한 번 임상소견과 연관시켜 봐야 한다!

하나만 더: pH 7.32, $PaCO_2$ 24 그리고 HCO_3 16인 경우;

1차 장애는 대사산증이다. 예상 $PaCO_2$= (1.5 x 16) + 8 = 32 mmHg인데 $PaCO_2$는 예상보다 낮은 것으로 보아 이 환자는 호흡알칼리증이 동반된 대사산증 환자임을 알 수 있다.

대사알칼리증에 대한 보상:
예상 $PaCO_2$ = (0.7 x HCO3) + 21

대사알칼리증은 특히 구토나 NG흡인 등으로 인한 체액부족

(volume depletion) 때문에 발생하는 경우가 가장 흔하다. 드물지만 고알도스테론증(hyperaldosteronism)과 다른 종류의 미네랄코르티코이드 과잉(mineralocorticoid excess)도 가능한 원인이다.

예: pH 7.52, $PaCO_2$ 42 그리고 HCO_3 30인 경우.

1차 장애는 대사알칼리증이고 예상 $PaCO_2$=(0.7 x 30)+21 즉 42 mmHg이다. 측정된 $PaCO_2$와 예상 $PaCO_2$가 같으므로 이 환자는 호흡보상이 적절히 일어난 대사알칼리증(metabolic alkalosis with appropriate respiratory compensation)상태이다. 이 환자는 췌장염때문에 사흘째 구토를 하고 있는 상태일 수 있다.

예: pH 7.53, $PaCO_2$ 60 그리고 HCO_3 40인 경우. (심부전환자에게 중탄산나트륨 50cc 를 한 번에 주입한 경우)

1차 장애는 대사알칼리증이지만 예상 $PaCO_2$=(0.7 x 40)+21 즉 49 mmHg이다. 그런데 측정된 $PaCO_2$가 60 mmHg이므로 이 환자에서는 대사알칼리증과 호흡산증(metabolic alkalosis and a coexisting respiratory acidosis)이 동시에 존재함을 알 수 있다.

호흡장애가 있는 경우 그 과정이 급성인지 만성인지 판단해야 한다. 일반적으로 만성인 경우 3-5일 이상 지속되므로 신장이 평형을 이루기에 충분한 시간이다. 따라서 만성호흡산증환자(예를 들면 "CO_2저류 - CO_2 retention -" 상태인 폐기종환자)에서는 높은 $PaCO_2$에도 불구하고 보통 pH 결과는 거의 정상이다. 임상적으로 이 환자들은 더 높은 수치의 $PaCO_2$에서도 의식의 혼탁(obtunded) 없이 견딜 수 있다. 보상공식은 다음과 같다.

호흡산증에 대한 보상:

급성: $PaCO_2$가 10 상승할 때 마다 HCO_3는 1 상승

만성: $PaCO_2$가 10 상승할 때 마다 HCO_3는 3-4 상승

예를 들어 폐기종환자가 pH 7.34, $PaCO_2$ 60 그리고 HCO_3 32인 경우

만성호흡산증 환자에서 대사보상이 적절하게 이뤄진 상태(chronic respiratory acidosis with appropriate metabolic compensation)이다. 이 환자가 만성호흡질환이라는 특성을 보여주는 단서들은 병력청취(COPD), 높은 HCO_3, 그리고 거의 정상적인 pH, 또 맑은 의식 상태로 쉽게 대화를 나눌 수 있다는 것이다. 만일 폐기능이 정상인이었던 사람의 $PaCO_2$가 갑자기 60 mmHg으로 높아졌다면 이 사람의 의식이 혼미(stuporous) 또는 혼수(comatose) 상태로 빠졌을 것이다.

다른 증례: pH 7.26, $PaCO_2$ 55 그리고 HCO_3 27인 경우

이 환자는 모르핀을 과량 투여 받은 환자로 현재 혼미상태이다. 이 사람은 호흡산증 상태이고, 예상 HCO_3는 26 mEq/L이다. 따라서 이 환자의 경우 급성호흡산증이지만 적절한 대사성보상(acute respiratory acidosis with appropriate metabolic compensation)이 이루어진 상태이다.

끝으로: pH 7.13, $PaCO_2$ 60 그리고 HCO_3 16인 경우

이 환자는 주택화재현장에서 의식을 잃고 실려왔다. 이 환자의 1차 장애는 호흡산증(대사성이라고 주장할 수도 있으며 이로부터 해석를 시작할 수 있다. -해석자 마음대로 결정하면 된다)이며, 이 때의 예상 HCO_3는 측정된 HCO_3보다 높은 26 mEq/L이다. 따라서 이 환자는 호흡산증과 대사산증이 복합된 상태(combined respiratory and metabolic acidosis)이다. 이 같은 경우는 시안화물(cyanide)중독이 원인이다.

호흡알칼리증에는 급성 및 만성질환에 대해 동일한 규칙이 적용된다. 만성호흡알칼리증은 보통 임신, 만성저산소혈증(chronic hypoxemia), 만성간질환(chronic liver disease), 약물부작용이 그 원인이다.

호흡알칼리증에 대한 보상(Compensation for Respiratory Alkalosis):

급성: $PaCO_2$가 10 떨어질 때 마다 HCO_3는 2 감소함

만성: $PaCO_2$가 10 떨어질 때 마다 HCO_3는 5 감소함

예: pH 7.52, $PaCO_2$ 25 그리고 HCO_3 21인 경우

이 환자는 갑작스러운 호흡곤란과 빈호흡(분당 30-34회 호흡)으로 왔다. 따라서 예상 HCO_3는(위의 공식에 의해) 21 mEq/L이므로, 이 환자는 적절한 대사보상이 이루어진 급성호흡알칼리증(acute respiratory alkalosis with appropriate metabolic compensation)이다. 추가 검사에서 CT스캔에서 이 환자는 폐색전증이 확

인되었다.

이 환자 진료를 마친 다음에 이틀 동안 구토를 하고 있는 할머니를 진찰해 달라는 요청을 받았다. 병력청취에서 우연히 할머니가 테오필린을 하루 두 번이 아닌 세 번 복용하고 있었다는 것을 알게 되었고 할머니의 혈중 테오필린 수치는 30 mcg/mL으로 독성을 보일 정도로 높았다. 환자의 ABGA결과는 pH 7.5, $PaCO_2$ 30 그리고 HCO_3 29였다. 이 환자는 구토에 의한 대사알칼리증(metabolic alkalosis)뿐만 아니라 만성호흡알칼리증(chronic respiratory alkalosis 특히 고용량의 테오필린에 의한 부작용)이 공존함을 알 수 있다.

그러면 이 모든 공식들은 어쩌란 말인가? 2단계에서는 지름길이 없다는 것에 대해서 미안하다. 메모장에 적어 놓거나 외우기 바란다. 최신기술에 익숙하면 스마트폰에서 이것들을 쉽게 사용할 수 있을 것이다. 당신이 ABGA매니아가 될수록, 이 공식들은 좀 더 쉽게 당신에게 다가올 것이다.

3단계: 음이온간격를 생각하라(Mind the Gap)

대사산증에는 음이온간격(anion gap)이 증가된 것과 정상 음이온 간격을 보이는 즉 두 가지 유형이 있다는 것을 기억할 것이다. 공식을 다시 기억해보면 음이온간격은 다음의 공식으로 계산한다. Anion Gap = [Na - (Cl + HCO_3)] 정상치는 약 12이며 혈장단백질과 같이 측정되지 않는 음이온의 존재를 의미한다. 계산된

음이온간격이 정상보다 3-4 mEq/L이상 높으면 "증가"된 것으로 판단한다. 저알부민혈증에서는 거짓으로 음이온간격을 낮출 수 있으므로 예상되는 정상음이온 간격은 혈청알부민에 3을 곱한 값(예를 들어, 혈청알부민 수치가 4g/dL이면 예상되는 정상AG은 4 x 3 =12)이어야 한다. 3단계에서는 음이온간격을 계산하고 이를 바탕으로 감별진단들을 생각해야 한다. 감별진단해야 할 것들은 다음과 같은 암기법(mnemonics)으로 기억힐 수 있으니 너무 걱정하지 말기 바란다.- 'mnemonics'의 철자를 기억하는 것이 산염기문제를 푸는 것보다 더 어려우니까!

음이온간격이 증가하는 산증의 몇 가지 원인(MUDPILES)

Methanol poisoning
Uremia
Diabetic ketoacidosis
Paraldehyde poisoning
Iron, **I**soniazide poisoning
Lactic acidosis
Ethylene glycol poisoning, **E**thanol ketoacidosis
Salicylate poisoning, **S**tarvation ketoacidosis, **S**epsis

음이온간격이 정상인 산증의 몇 가지 원인(HARD UP)

Hyperchloremia (saline, TPN)
Addison's disease, **A**cetazolamide
Renal tubular acidosis
Diarrhea
Ureteral diversion procedures
Pancreatic problems (pseudocyst, fistula)

음이온간격(anion gap)의 유,무가 대사산증의 원인을 파악하는 데 도움이 된다. 때로는 음이온간격이 대사산증의 존재를 파악하는 유일한 단서가 되기도 한다. 또한 음이온간격이 정상치 이상으로 증가하는 것과 HCO_3가 정상치 24 mEq/L로 부터 떨어지는 것과는 상관관계가 있어야 한다. 만약 HCO_3가 예상치보다 높으면 대사알칼리증이 동시에 존재함을 의미한다. 또한 HCO_3가 예상치보다 낮을 경우 비음이온간격산성(non-anion gap acidosis)이 동시에 존재할 수 있다.

다음의 증례를 검토해 보자. 23세의 당뇨병환자가 쇼크상태로 병원에 왔다. 부모는 환자가 4일 동안 끊임없이 구토하였다고 말하였다. 당신에게 환자의 생화학검사와 ABGA 결과를 해석해 달라는 의뢰가 왔다.

생화학검사결과; 혈당 399, 혈청 Na 133, Cl 90, HCO_3 20
ABGA결과; pH 7.20, $PaCO_2$ 40 mmHg
이 환자는 어떤 상태인가?

1. 1차 장애는 대사산증, 아마도 DKA(혈청 아세톤의 증가소견으로 확진됨)이다.

2. 예상 $PaCO_2$는 38 mmHg인데, 이 환자의 경우는 40 mmHg이다. 따라서 이 환자는 대사산증을 적절하게 호흡보상(metabolic acidosis with appropriate respiratory compensation)하고 있는 상태이다.

3. 음이온간격은 23 mEq/L으로 증가되었고 이는 DKA와 일치한다. 그러나 잠깐만! 음이온간격의 증가수치는 11=(23-12)로 혈청중탄산염이 13=(24-11)이 되기 위해서는 이 환자의 HCO_3가 11로 감소했어야 한다. 그러나 환자의 HCO_3는 20 mEq/L으로 예상치보다 월등히 높다. 이는 환자가 구토와 탈수로 인한 대사알칼리증이 동시에 존재함을 의미한다. 결론적으로 이 횐자는 혈량부족(volume depletion)에 의한 대사알칼리증과 당뇨병케토산증(diabetic ketoacidosis with a concomitant metabolic alkalosis)이 동시에 있다.

끝으로…

임상실습에서 만나게 될 골치아픈 산-염기문제를 해결하는데 이번 장이 도움이 되었기를 바란다. 그러나 연습이 완벽함을 만든다는 것을 기억하라. 당신이 마주치게될 모든 ABGA를 해석할 때 앞에서 설명한 3단계를 모두 거쳐야 한다. 그리고 누구에게도 ABGA판독이 얼마나 쉬운지 이야기할 필요는 없다. 실제로는 쉽게 판독하면서 “logarithmic changes”와 ““titratable acidity in the setting of the Isohydric Principle”에 대해 몇 마디를 중얼거릴 수 있다. 만약 다른 사람들이 어렵겠다 생각하는 것처럼 보이게 하고 싶다면 말이다. 아마도 때가 되면 당신은 ABGA도사로 알려지게 될 것이다.

08

보조제어환기

Assist-Control Ventilation

보조제어환기(Assist-Control Ventilation, A/C)는 환자의 노력이 가장 적게 필요한 모드다. 보조제어환기 모드에서 인공호흡기는 무슨 일이 있어도 미리 설정된 분당 호흡수를 전달(이것이 "제어(control)" 부분)한다. 만일 환자가 설정된 속도보다 더 자주 호흡하고 싶다면 (이것이 "보조(assist)부분") 그렇게 할 수 있다. 환자가 인공호흡기를 유발(trigger)시키면 인공호흡기는 설정된 일회호흡량의 전부(full breath)를 공급할 것이다. 즉 환자가 해야 할 일은 인공호흡기 안에 있는 수요밸브(demand valve)를 개방하여 인공호흡기의 컴퓨터로 하여금 환자가 숨을 쉬고 싶어 한다는 것을 알게 하는 것이고 이 후 나머지는 모두 인공호흡기가 진행하는 것이다.

그래서 인공호흡기가 분당 12회의 호흡을 공급하도록 설정되어 있다면 환자는 아무런 노력을 하지 않아도 분당 12회의 일회호흡량을 공급받게 된다. 그러나 만약 환자가 인공호흡기에 설정된 호흡수 이상을 숨쉬고 싶어하면, 환자가 해야 할 일은 인공호흡기를 유발하는 데 필요한 최소한의 기류나 압력을 만들어 내는 것이다. 보조제어환기모드는 호흡일을 효과적으로 대신하며 환자가 자신의 환기요구량을 충족시킬 수 없는 상황(예: 쇼크, 급성호흡곤란증후군, 폐부종, 다발적 전신외상 등)에 매우 유용하다.

유순도(Compliance)

양압환기를 이해하기 위해서는 호흡기계 유순도의 개념을 이해하는 것이 중요하다. 유순도는 압력변화(ΔP)에 대한 부피변화(ΔP)의 비율이라고 수학적으로 표현할 수 있다.

호흡기계 유순도는 폐와 흉벽의 두 가지 요소의 개별적인 유순도에 결정된다. 이들 각각의 정상유순도는 약 200 mL/cm H_2O이다(적어도 살아있는 환자에서는). 그러나 실제 임상에서는 폐와 흉벽의 유순도를 각각 분리하는 것이 매우 어렵기 때문에, 우리는 이 두 구성 요소가 병렬회로에서 함께 작용하는 것처럼 생각할 필요가 있다. 병렬회로의 총 저항의 역수는 각 구성 요소의 저항역수의 합이라는 것을 기억하라. 따라서

$$1/C_{RS} = 1/C_{L} + 1/C_{CW}$$

폐와 흉벽의 정상 유순도를 연결하면

$$1/C_{RS} = 1/200 + 1/200 = 2/200 = 1/100$$

따라서 정상 호흡기의 유순도는 100 mL/cm H_2O이다. 그러므로 마스크나 기관내관를 통해 5 cm H_2O 압력을 가하면 정상 폐의 부피는 500 mL 증가한다. 폐의 유순도를 감소시키는 어떤 질병 과정(폐렴, 무기폐, 폐섬유화, 폐부종, 기흉)도 호흡기계 전체의 유순도를 감소시킨다. 마찬가지로 흉벽의 유순도 감소(피하부종, 원주화상 circumferential burn , 복강내압력 상승)는 호흡기계의 유순도를 감소시킬 것이다.

양압환기에서는 인공호흡기에 의해 일정량의 압력이 폐에 가해져 일회호흡량(tidal volume)이라고 알려진 용적을 생성한다. 일회호흡량을 공급하는데 필요한 압력의 양은 호흡기계 유순도에 따라 달라진다. 의사는 이러한 변수(압력 또는 용적) 중 어떤 것을 종속변수로 할지, 또 어떤 것을 독립변수로 할지 결정해야 한다.

만약 일회호흡량을 독립변수로 선택한 경우 이 모드를 용적보조-제어(volume assist-control) 또는 용적제어(volume control)라고 한다. 일회호흡량을 설정하면, 인공호흡기는 설정된 용적에 도달하는데 필요한 압력을 공급하게 된다. 유순도가 낮으면 더 높은 압력이 필요할 것이다. 또 환자의 유순도가 호전되면 설정된 일회호흡량을 공급하는 데 필요한 압력은 줄어들 것이다.

한편 일회호흡량을 전달하는 과정에 필요한 압력 즉 추진압

(driving pressure)을 설정할 수도 있다. 이 때 일회호흡량은 유순도에 따라 달라지므로 유순도가 호전되거나 악화됨에 따라 일회호흡량이 달라질 수 있다. 이를 압력보조제어(pressure assist-control)또는 압력제어(pressure control) 환기라고 한다.

용적제어(volume control)와 압력제어(pressure control) 환기의 장단점을 놓고 다투는 사람들이 많다. 양측에는 각각의 지지자들이 있지만, 이 두 가지 모드 전부 유순도공식과 연결되어 있다는 것이 사실이다. 유일한 차이점은 의사가 인공호흡기 설정을 위해 어떤 변수를 선택하느냐에 있다. 따라서, 이 논쟁의 많은 부분은 아무것도 아닌 것을 갖고 야단 법석을 떠는 것과 같다. 인공호흡기는 양압 없이 일회호흡량을 공급할 수 없고, 일회호흡량을 만들어 내지 않으면서 추진압(driving pressure)을 전달할 수 없다.

일회호흡량 설정(Setting the Tidal Volume)

오랫동안 의사들은 인공호흡기에 의한 폐손상(ventilator-induced lung injury, VILI)의 원인이 주로 과도한 기도압 때문이라고 믿었다. 동시에, 더 많은 일회호흡량을 설정하여 $PaCO_2$를 정상범위 내로 유지하고 무기폐(atelectasis)의 발생을 예방하였다. 그러나 최근 20년간의 연구결과 인공호흡기에 의한 폐손상(ventilator-induced lung injury, VILI)의 주요 원인은 용적손상(volutrauma) 즉, 폐포의 과팽창이라는 것이 밝혀졌다. 기념비적인 ARDSNET 연구에서 4-6 mL/kg의 일회호흡량을 적용하였을때(대조군은 12 mL/kg) 급성호흡곤란증후군(ARDS) 또는 급성폐손상(ALI) 환자의 사망률이 9% 감소했음을 입증했다. 혹시 이 연구결과가 엄청난 것이 아니라는 생각이 든다면, 다시 한 번 ARDS 관련 연구결과들을 검토해보라. 이 연구결과는 1967년에 ARDS가 처음 기술된 이후, 생존율의 향상을 증명한 최초의 연구결과보고이기 때문이다!

어떤 이들은 대조군에서 너무 많은 일회호흡량을 설정한 것에 대해 ARDSNET 연구를 비판했다. 그러나 이와 같은 설정은 아마 당신이 생각한 것보다는 일상적인 치료와 비슷한 설정이다. 일회호흡량은 실제체중이 아닌 예상체중(predicted body weight, PBW)을 기준으로 계산해야 한다. 어떤 사람의 체중이 90 kg이나 증가하더라도 폐가 더 커지지는 않기 때문이다. 환자의 키와 성별을 알고 있으면 PBW를 계산할 수 있다.

예상체중 계산법(Calculating Predicted Body Weight)

남자: PBW (kg) = 0.91 x [신장(cm − 152.4] + 50
여자: PBW (kg) = 0.91 x [신장(cm − 152.4] + 45.5

일반적으로 기계환기 초기에 일회호흡량을 6-8 mL/kg PBW로 설정해야 한다. ARDS 환자인 경우 4-6 mL/kg의 일회호흡량이 더욱 적절하다. 폐쇄성환기장애를 보이는 환자들은 공기걸림(air trapping)을 예방하기 위해 일회호흡량을 조금 높게(7~8 mL/

kg) 설정하는 것이 필요하다. 일회호흡량이 8 mL/kg 이상으로 설정하는 경우 건강한 폐라도 VILI가 유발될 수 있다는 증거가 있으므로 이를 초과하는 것은 바람직하지 않다.[5]

Tidal Volume Chart—Females

Height (cm)	4 mL/kg PBW	6 mL/kg PBW	8 mL/kg PBW
152.4	182	273	364
154.9	191	287	382
157.5	200	301	401
160.0	210	314	419
162.6	219	328	438
165.1	228	342	456
167.6	237	356	474
170.2	246	370	493
172.7	256	383	511
175.3	265	397	530
177.8	274	411	548
180.3	283	425	566
182.9	292	439	585
185.4	302	452	603
188.0	311	466	622
190.5	320	480	640
193.0	329	494	658
195.6	338	508	677
198.1	348	521	695
200.7	357	535	714
203.2	366	549	732
205.7	375	563	750
208.3	384	577	769
210.8	394	590	787
213.4	403	604	806

Tidal Volume Chart—Males

Height (cm)	4 mL/kg PBW	6 mL/kg PBW	8 mL/kg PBW
152.4	200	300	400
154.9	209	314	418
157.5	218	328	437
160.0	228	341	455
162.6	237	355	474
165.1	246	369	492
167.6	255	383	510
170.2	264	397	529
172.7	274	410	547
175.3	283	424	566
177.8	292	438	584
180.3	301	452	602
182.9	310	466	621
185.4	320	479	639
188.0	329	493	658
190.5	338	507	676
193.0	347	521	694
195.6	356	535	713
198.1	366	548	731
200.7	375	562	750
203.2	384	576	768
205.7	393	590	786
208.3	402	604	805
210.8	412	617	823
213.4	421	631	842

폐포압 점검(Check the Alveolar Pressure)

일회호흡량이 확정되면 우선적으로 폐포에 작용하는 팽창압

(distending pressure)을 확인해보라. 이를 고원압(plateau pressure)이라고 하며, 인공호흡기 회로에 0.5-1초동안 흡기말정지(end-inspiratory pause; 대부분의 인공호흡기에는 이러한 목적을 위해 설계된 버튼이 있다)를 실행해 보면 고원압을 측정할 수 있다. 흡기말정지(end-inspiratory pause)가 시작되면 공기의 유량(flow)은 정지된다. 당신 스스로도 확인해 볼 수 있는데 숨을 들이 쉬고 1초간 숨을 참을 때 흡기말정지를 경험할 수 있다. 이 때 기도압은 전체 호흡기계 안에서 평형을 이루며, 기관내관(endotracheal tube)의 압력과 폐포압력이 동일하다.

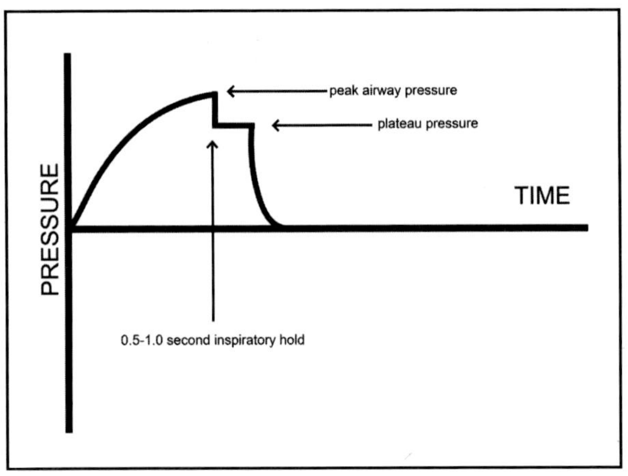

고원압(P_{PLAT})은 기류가 정지된 상태에서 폐전체 압력의 평형압(equilibration of pressures)을 나타낸다. 이는 폐포압을 평가하는데 가장 좋은 지표이다.

인용되고 있는 정상적으로 안전한 고원압은 30-35 cm H_2O이다. 건강한 사람이 총폐활량(total lung capacity)까지 숨을 들여마실 때, 발생하는 최대경폐압(maximal transpulmonary pressure)이 30-35 cm H_2O이다. 이것이 이 숫자가 나오는 배경이다.

하지만, 실제로 정말 "안전한" 고원압이 어느정도 인지, 또는 그런 것이 존재하는지는 아무도 알지 못한다. ARDS 환자에 대한 연구에서는 고원압이 낮을수록 생존율이 더 좋았다는 결과를 보여주었다. 그러나 이것은 인과관계가 없는 단순한 상관관계 때문일 수도 있다.[4] 다음 인공호흡기에 의한 폐손상(ventilator-induced lung injury, VILI)의 배후에 있는 1차적인 원인인 용적손상(volu-trauma)은 압력손상(barotruma)과는 독립적으로 발생한다.[6] 그러므로 고원압이 35 cm H_2O를 넘지 않도록 하는 것이 적절하다. 이와 동시에 권장 일회호흡량보다 더 많은 일회호흡량을 설정하는 것은 고원압이 30 cm H_2O미만이더라도 안전하다고 볼 수 없다. 고원압이 35 cm H_2O를 초과하게되면 일회호흡량을(필요할 경우 4 mL/kg까지) 낮춰야 한다. 과도한 일회호흡량은 위험할 수 있기 때문에 호흡수를 변경하는 것이 분당환기량을 조절하는 일차적인 방법이 되어야 한다.

용적보조-제어(Volume Assist-Control)

용적제어환기(VCV)에서는 의사가 일회호흡량과 호흡수를 설정해야 한다. 이 두 숫자의 곱은 분당환기량(minute volume)이며, 몸에서 이산화탄소가 얼마나 제거되는지를 결정하는 것이 분당환기량이다. 안정 시 건강한 사람의 분당환기량은 분당 4-5리터 정도지만 발열, 감염, 대사 스트레스, 운동 시 증가할 수 있다. 인공호흡기의 호흡수나 일회호흡량을 증가시키면 분당환기량이 증가하여 더 많은 CO_2가 방출될 것이다. 분당환기량을 낮추면 (호흡수 또는 일회호흡량을 줄임으로써) 동맥혈CO_2분압이 상승할 수 있다. 만일 환자가 설정된 호흡수 이상으로 호흡하기를 원하면 그렇게 할 수 있다. 이 때 환자는 인공호흡기를 유발(trigger)할 때마다 설정된 일회호흡량을 전부 공급받게 된다.

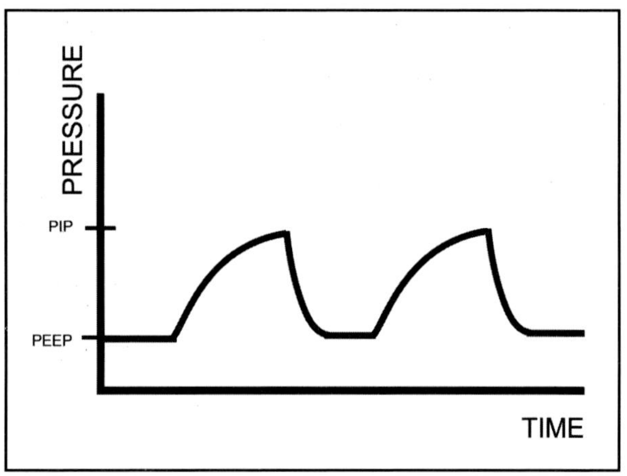

용적제어환기(VCV)에서는 인공호흡기가 설정된 일회호흡량에 도달할 때까지 기도압을 증가시킨다.

VCV는 설정된 일회호흡량이 전부 공급될 때까지 흡기 중에 일정기류(constant flow)의 공기를 공급한다. 이 때 인공호흡기 기류의 파형을 "사각모양(square top)" 흡기류(inspiratory flow)라고 부른다.

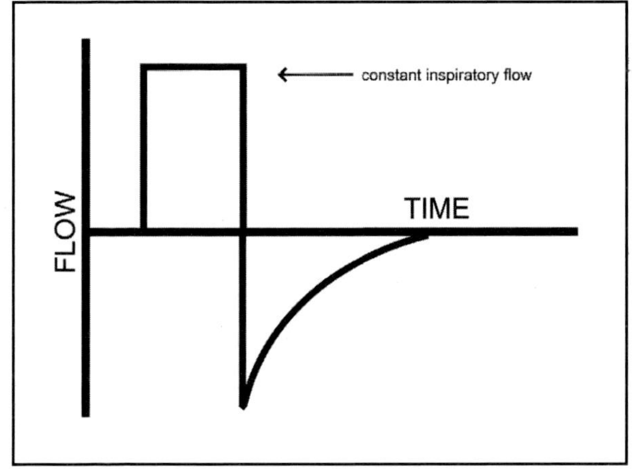

용적제어환기(VCV)에서 설정된 일회호흡량에 도달할 때까지 인공호흡기가 일정기류(constant flow)의 공기를 공급한 후 흡기를 중단한다. 호기과정은 수동적이다.

COPD나 천식을 앓고 있는 환자들에게서 다음과 같은 상태가 종종 발생한다. 이들은 전형적으로 아주 심한 공기고픔(air hunger)이 있으며 일회호흡량을 빠르게 들이쉬면 공기고픔(air hunger)을 완화시키는데 도움이 된다. 일정한 유속(constant inspiratory flow)으로 흡기하는 것을 환자들은 마치 가는 빨대를 통해 숨을 들이 쉬는 것처럼 불편하다고 느낀다. 따라서 최근의 인공호흡기들은 환자의 편안함을 증진시키시 위하여 의사가 감속기류(decelerating flow)를 설정할 수 있도록 허용하고 있다. 이에 대해서는 12장 유발과 유량(Chapter 12, Trigger and Flow)에서 더 자세히 설명하겠다.

압력보조-제어(Pressure Assist-Control)

압력보조-제어환기(PCV)에서 의사는 추진압(driving pressure)과 호흡수를 설정한다. 추진압은 인공호흡기에 의해 공급되거나 아니면 환자가 유발하여 공급되는 호흡(보조제어환기에서는 환자가 설정된 호흡수 이상으로 호흡할 수 있음을 기억하라!) 도중 발생하는 압력변화이다. 추가적으로 흡기시간(inspiratory time, I-time)을 설정해야 한다. VCV에서는 설정된 만큼 일회호흡량이 공급되면 인공호흡기는 유량을 차단한다. 그런데 PCV에서, 인공호흡기는 설정된 압력까지 기도압을 높인 다음 유량을 유지하다가 설정된 시간이 되면 흡기유량을 차단하는데 흡기에 소요된 시간을 I-time이라고 한다.

흡기시간(I-time)과 호기시간(expiration time, E-time) 사이의 비율을 I:E 비라고 한다. 자발호흡하는 사람에서 이 비율은 보통 1:2에서 1:4사이에 있다. 즉, 흡기에는 약 1초가 걸리고, 호기에는 2-4초가 걸린다. 인공호흡기를 설정할 때 매 호흡에 소요되는 총 시간에 주목하자. 분당 호흡수가 20이면 매 호흡당 3초가 걸린다. 만약 흡기시간이 1초라면 호기시간은 2초가 되며 결과적으로 I:E ratio는 1:2가 된다. 만약 분당호흡수가 15이고 흡기시간(I-time)이 1초라면 I:E ratio는 1:3이다(60초 나누기 15는 4로 매호흡당 총시간은 4초)

일단 I:E 비율이 1:1 이상인 경우를 역비율환기(inverse-ratio ventilation)라고 한다. 분당호흡수가 20이고 흡기시간(I-time)이 2초로 설정된 경우에 I:E 비율은 2:1이다. 2초간 숨을 들이쉬고 나서 1초간 숨을 내쉬어 보라. 아마도 불편함을 느끼게 될 것이다. 역비율환기가 유용한 특별한 상황(심각한 ARDS 등)이 있지만 이와 같은 불편함 때문에 진정제를 충분히 투여하는 것이 필요하다. 일반적으로 I:E 비율은 1:2와 1:4 사이로 유지하는 것이 좋다.

추진압(driving pressure)은 호흡 중 압력변화이다. 추진압의 의미는 호기말압(end-expiratory pressure)의 수준과 관계없이 흡기 시 기도압은 호기말압에서 최고압(peak pressure)까지 상승한 상태로 흡기시간(I-time)동안 유지되다가 호기말압으로 되돌아 가는 과정이다. 예를 들어 환자의 호흡수가 분당15회이고 설정된 추진압(driving pressure)이 20 cm H_2O, 흡기시간(I-time)은 1.0초, 호기말양압(PEEP)이 10 cm H_2O이라면 이 환자는 분당 15번 기도압이 호기말양압 10 cm H_2O에서 최고압(peak pressure) 30 cm H_2O까지(최고압-호기말양압= 추진압, peak pressure– PEEP = driving pressure) 상승한다. 이후 기도압은 흡기시간인 1초동안 30 cm H_2O로 유지되었다가 호기말압 즉 PEEP인 10 cm H_2O로 되돌아온다.

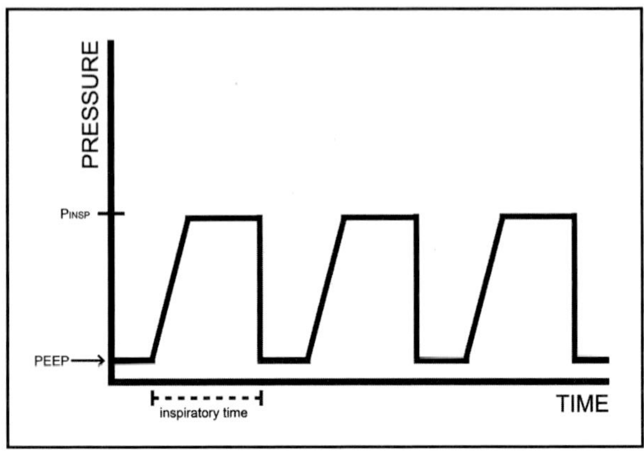

압력제어환기(PCV)에서는 인공호흡기가 설정된 흡기압(inspiratory pressure)까지 기도압을 높인 다음 설정된 흡기시간 동안은 기도압을 유지한 후 흡기를 중단한다. 공급되는 일회호흡량은 호흡기계의 유순도에 따라 달라진다.

추진압(driving pressure, dP)에 의해 공급되(발생하)는 일회호흡량은 환자의 호흡기계 유순도에 따라 달라진다. 유순도가 나쁜 경우, 예를 들어, 유순도가 15 mL/cm H_2O인 경우, 추진압이 20 cm H_2O이면 일회호흡량 300 mL가 발생한다(참고; TV = dP × C_{RS}). 유순도가 30 mL/cm H_2O로 호전되면 일회호흡량도 600 mL로 두 배가 된다. 중환자에서, 유순도는 다소 빠르게 변화할 수 있어서 비정상적인 일회호흡량의 공급을 초래할 수 있다. 따라서 어떤 의사들은 일회호흡량의 공급을 보장할 수 없는 것이 PCV의 단점으로 생각한다. 그러나 이와 같은 견해와는 달리 일반적으로 일회호흡량은 자발호흡일 때도 일정하지 않다는 근거와 더불어 일정한 일회호흡량을 공급할 수 없다는 것을 오히려 장점으로 보는 의사들도 있다. 이

것이 장점인지 약점인지는 아직 결론이 나지 않았다.

일반적으로 추진압은 6-8 mL/kg PBW의 일회호흡량을 생성하도록 설정하지만 만약 환자가 ARDS인 경우 4-6 mL/kg PBW의 일회호흡량을 생성할 정도의 압력으로 설정해야 한다.

환자의 유순도가 호전됨에 따라 이 범위안에서 일회호흡량이 공급되게 하려면 추진압을 낮추어야 할 필요가 있다. 의사가 설정하는 독립변수가 일회호흡량(volume)이 아니고 압력(pressure)이라 하더라도 용적손상(volutruma)의 발생 가능성을 무시하면 안 된다. 가능하면 최고기도압(추진압 + PEEP)이 30-35 cm H_2O를 초과하지 않도록 주의해야 한다.

2015년에 발표된 ARDS 환자에 대한 분석에 의하면 추진압이 환자의 생존과 관련된 가장 중요한 인자이며 일회호흡량이나 PEEP보다 더 중요하다는 결론을 내렸다. 고원압이 30 cm H_2O 이하로 유지되고 일회호흡량이 7 mL/kg 이하인 경우에도 추진압 15 cm H_2O를 기준(threshold)으로 두군으로 나누어 비교해 보면 추진압이 낮았던 군의 환자들이 독립적으로 생존에 긍정적인 효과가 있는 것으로 확인되었다. 다른 연구에서도 이와 같은 결론이 확인되었다.

추진압은 호흡기계의 유순도에 대한 일회호흡량의 관계를 나타낸다. 다음은 다른 방식으로 작성된 유순도공식이다.

Compliance = ΔVolume/ΔPressure
C_{RS} = Tidal Volume/Driving Pressure
Driving Pressure = Tidal Volume/C_{RS}

최고중증의 ARDS 환자에서 유순도가 감소되는 것은 당연하며 이것은 주어진 일회호흡량을 공급하기 위해 더 많은 압력이 필요하다는 의미이다. 조금 덜 심한 ARDS환자에서는 6 mL/kg의 일회호흡량를 공급하는데 필요한 추진압은 낮아질 것이다(호흡기계 유순도의 증가로 인해). 이와 같은 소견은 추진압이 질병의 중증도를 더욱 잘 반영할 수 있음을 시사한다.

ARDS 환자에서 추진압과 관련된 논문들은 후향적(retrospective)이고 사후검정(post hoc analysis)법에 의한 것이다. 이 책을 쓰고 있는 현재까지, 추진압을 기준으로한 환기법(driving pressure-guided ventilation strategy)과 저일회호흡량을 기반으로한 환기법(low tidal volume-based approach)의 효과를 직접 비교한 전향적인 연구는 없다. 따라서 추진압이 15 cm H_2O 미만인 상태라면 일회호흡량은 얼마가 되더라도 문제가 없다는 입장을 취하는 것은 의학적인 근거가 부족하다. 추진압을 일종의 속도제한 같은것으로 보는 것이 더 현명할 것이다. 만약 일회호흡량을 6 mL/kg으로 공급하는데 15 cm H_2O 이상의 추진압이 필요할 경우에는 목표 일회호흡량을 낮추는 것을 고려하자.

PCV모드에서 일회호흡량은 감속흡기류(decelerating inspiratory flow)의 형태로 공급된다. 인공호흡기는 단순히 흡기압까지 빠르게 기도압을 올린 후 이 상태의 기도압을 유지하기 때문에, 폐가 일회호흡량까지 채워지게 되면 흡기류의 흐름은 자연히 느려질 것이다. 이러한 이유로 환자들은 일정기류(constant, or square-top, inspiratory flow)인 VCV보다 감속기류(deceleration flow)인 PCV가 좀 더 편안하다고 느낀다.

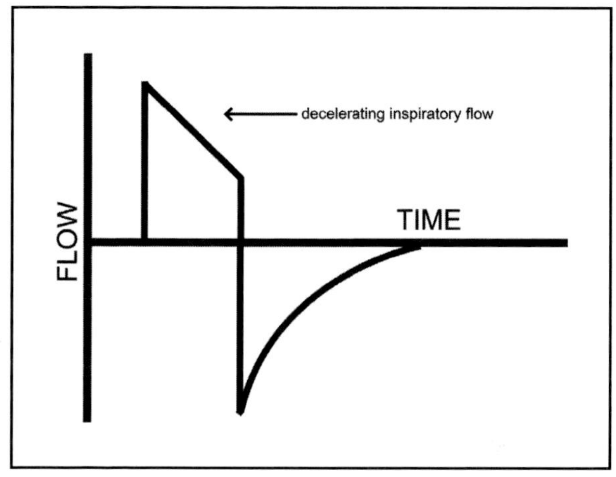

압력제어(pressure control)와 이중제어환기(dual-control modes)에서는 가스의 흐름이 흡기 초기에 가장 높다. 폐가 일회호흡량으로 가득 차게 되면 흡기가스의 흐름이 느려지거나 감속된다. 호흡은 흡기시간(PCV)의 종료 또는 목표 일회호흡량에 도달될 때(PRVC 및 기타 이중 제어 모드)종료된다. 호기는 수동적인 과정이다.

이중제어모드(Dual-Control Modes)

당신이 만약 용적제어모드와 압력제어모드 두 모드의 장점을 동시에 사용할 수 있다면 어떨까? 용적제어(VCV)처럼 일회호흡량을 설정할 수 있는 능력과 압력제어(PCV)와 같이 감속흡기류(decelerating inspiratory flow)를 공급하여 환자가 편안히 기계환기를 할 수 있다면 어떨까? 인공호흡기 회사들이 당신의 요청을 듣고 소위 "이중제어" 모드의 인공호흡기를 개발했으므로 걱정하지 않아도 된다. 이런 모드들은 각기 다른 상표명으로 알려져 있다. 두 세가지 예를 들면 Maquet사의 PRVC™(압력조절용적제어, pressure-regulated volume control), Draeger사의 Autoflow™가 장착된 CMV 및 Puritan-Bennett사의 VC+™ 등이 있다. 이 모든 방법들은 본질적으로 같은 원리로 작용하는데, 이는 감속기류(decelerating flow)로 용적설정호흡(volume-targeted breath)을 공급하는 것이다.

이중제어모드에서 의사는 일회호흡량, 호흡수와 흡기시간을 설정한다. 이 설정을 바탕으로 인공호흡기는 환자에게 미리 설정된 흡기시간 동안에 일회호흡량을 공급하고 가능한 낮은 압력으로 일회호흡량을 공급하기 위해 전체 흡기시간 동안 기류(flow)를 조절한다. 또한 인공호흡기는 환자의 흡기노력을 감지할 수 있으며, 환자의 편안함을 좋게 하기 위해 기류(flow)를 적절히 조절한다.

일회호흡량의 공급은 압력조절환기(PCV)와 같다. 실제로 이중제어모드(Dual-Control Modes)의 압력-시간(pressure-time)과 유량-시간(flow-time)의 파형(waveform)을 살펴보면 PCV와 동일하다. 이는 이중제어모드(Dual-Control Modes)가 본질적으로 압력제어환기(PCV)와 같은 것이기 때문이다. 당신이 인공호흡기를 PCV모드로 설정했으나 미리 설정된 일회호흡량을 일정하게 공급하기 위해 인공호흡기가 스스로 추진압(driving pressure)의 높낮이를 필요한 만큼 조절한다고 상상해 보라. 그것이 바로 이중제어모드에서 일어나고 있는 일이다. 환자의 유순도가 변함에 따라 의사가 설정한 일회호흡량을 일정하게 공급하기 위해 흡기압 또한 변할 것이다. PRVC, Autoflow가 포함된 CMV, VC+는 PCV모드를 좋아하지 않는 의사들을 위한 PCV모드다.

그러면 이와 같은 이중제어모드가 대부분의 경우 VCV나 PCV를 대체하고 있지만 완전히 대체하지 못하는 이유는 무엇일까? 이중제어모드는 의사가 설정한 일회호흡량을 환자에게 보다 편안한 방법으로 공급해 주기 때문에 인기가 높고, 또한 최고기도압도 VCV보다 낮으며 대부분의 경우 매우 잘 작동한다. 그렇다면 단점은 무엇일까?

이중제어환기는 설정된 일회호흡량이 공급될 수 있게 매호흡 단위로 인공호흡기가 흡기압을 조절한다는 점을 기억하라. 만일 환자가 자발호흡 노력을 하는 경우, 다른 보조제어모드에서와 같이 인공호흡기의 설정을 초과해서 호흡할 수도 있다. 만약 환자가 강한 호흡욕동(respiratory drive) 또는 심한 공기고픔(air hunger)을 보인다면, 환자-인공호흡기비동기화(patient-ventilator dyssynchrony) 문제가 심하게 발생할 수 있다.

일회호흡량이 500 mL로 설정되어 있고, 처음에 인공호흡기의 흡기압이 20 cm H_2O로 설정되어 있다고 가정해 보자. 만일 환자가 800-900 mL의 심호흡을 몇 번 들이마시게 되면 인공호흡기의 컴퓨터는 이것을 환자의 유순도가 호전된 것으로 해석하게 된다. '이것봐, 이 환자가 점점 좋아지고 있어!' -라고 판단하면서 인공호흡기는 흡기압을 10 cm H_2O까지 내린다. 흡기압이 낮아진 환자는 150-200 mL의 빠른 숨을 몇 번 들이쉬는 반응을 보이게 된다. '그런데 10 cm H_2O는 조금 모자라네!' 이러면서 인공호흡기는 다시 기도압을 높여 일회호흡량을 500 mL 정도로 유지하기 위해 최선을 다한다. 이와 같은 흡기압, 일회호흡량의 요요 현상(yo-yoing pressure)은 확실히 편안하지 않고 또 추가적인 환자-인공호흡기비동기화(patient-ventilator dyssynchrony)를 일으킨다. 임상의사는 환자가 인공호흡기와 "싸우는 것(fighting)"으로 판단할 수 있으며, 더 깊은 진정(sedation)이 필요하다고 생각할 수 있다. VCV로 설정된 일회호흡량 또는 PCV로 설정된 흡기압 중 어떤 방법으로 호흡보조를 공급할 것인가를 결정하는 것이 실제 이중제어모드의 인공호흡기가 해야할 일이다. 이중제어 모드는 이와 같은 적응력이 있지만(이것이 장점), 그러나 때로는 적응력이 역효과를 낳기도 한다.

09
동조간헐강제환기
Synchronized Intermittent Mandatory Ventilation

간헐강제환기(Intermittent Mandatory Ventilation, IMV)는 보조-제어환기(assist-control ventilation)의 대안으로 1970년대에 도입되었다. 보조제어환기와 마찬가지로, 인공호흡기는 미리 정해진 분당 호흡수를 환자에게 공급하도록 설정되어 있었다. 이후에 미리 설정된 인공호흡기의 호흡을 환자의 자발호흡과 동기화시키도록 개선됐다. 즉, 만약 인공호흡기가 환자의 호흡을 감지하면 환자가 숨을 내쉬는 동안에 인공호흡기에 의한 호흡공급을 방지하기 위해 인공호흡기가 호흡을 지연시킨다. 이러한 동기화로 SIMV에 S를 넣는 것이다.

가장 흔하게 기계에서 전달되는 호흡은 용적제어(volume-controlled) 모드이다(예: 의사가 일회호흡량을 설정). 그러나, 이것이 유일한 방법은 아닌데 이는 많은 인공호흡기가 IMV호흡에 압력제어(pressure-controlled)모드나 감속기류(decelerating flow)

를 동반한(volume-controlled)모드를 허용하고 있기 때문이다. 이 부분은 보조제어환기와 다르지 않다.

보조제어 환기(ACV)와 달리, SIMV에서는 환자의 자발호흡이 인공호흡기가 공급하는 호흡을 유발하지 않는다. 다르게 말하면, 환자는 자발호흡할 수 있는 만큼 호흡한다. 예를 들어 SIMV 모드에서 일회호흡량 500 mL, 호흡수 분당10회로 설정된 경우 500 mL의 일회호흡량이 분당 10회의 공급이 보장된다. 만약 환자가 설정된 호흡수보다 추가로 분당 10회의 호흡을 한다면 이 환자는 호흡회로를 통해 환자 스스로 호흡할 수 있는 양만큼의 환기량을 추가로 얻는다. 이 환기량은 가변적이며 환자의 힘, 유순도 및 호흡노력정도에 따라 달라진다. SIMV의 일회호흡량은 다음과 같이 보일 수 있다(일반 글꼴은 인공호흡기가 공급하는 일회호흡량, 굵은 글꼴은 자발호흡의 일회호흡량).

500 – **254** – 500 – 500 – 500 – **399** – 500 – **526** – **122** – 500 – 500

적절한 일회호흡량을 일으킬 수 있을 정도로 환자의 호흡이 강하면 이 모든 것이 잘되고 좋다. 하지만 환자상태가 그렇지 못한데, SIMV모드로 설정하게 되면 비효율적인 자발호흡 때문에 훨씬 더 많은 호흡일이 부과될 수 있다. 심호흡보다는 빈호흡이 쉽기 때문에 호흡근육이 약한 환자에서는 자발호흡수가 30, 일회호흡량이 150-180 mL일 수도 있다. 다르게 표현하면 해부학적사강(anatomic dead space)보다 조금 더 많은 정도에 불과하다! 이처럼 낭비된 환기(wasted ventilation)는 급속한 호흡근의 피로를 유발할 수 있다.

비효율적인 자발호흡문제를 해결하기 위해 현대식 인공호흡기는 압력지지(PS)를 통해 환자의 자발호흡 노력을 보조할 수 있다. 압력지지(PS)에서 인공호흡기는 환자가 자발호흡을 시작하려는 것을 감지할 때마다 자발호흡노력을 보조하는 압력지지(PS)를 공급한다. 그러나 압력지지는 인공호흡기가 공급하는 보조호흡에는 적용되지 않는다. 이것이 보조제어환기(ACV)에서 압력지지(PS)가 없는 이유인데, 보조제어환기에서는 환자의 자발적 호흡노력으로 인공호흡기가 유발되면 설정된 일회호흡량이 전부 공급되기 때문이다. 환자의 호흡노력이 약할수록 적절한 일회호흡량을 공급하기 위해 더 높은 PS가 더 필요하다. 따라서 PS 레벨은 환자의 호흡수, 자발적 일회호흡량 및 편안함에 따라 조절할 수 있다. 이에 대해서는 10장 압력지지환기(pressure support ventilation)에서 자세히 설명한다.

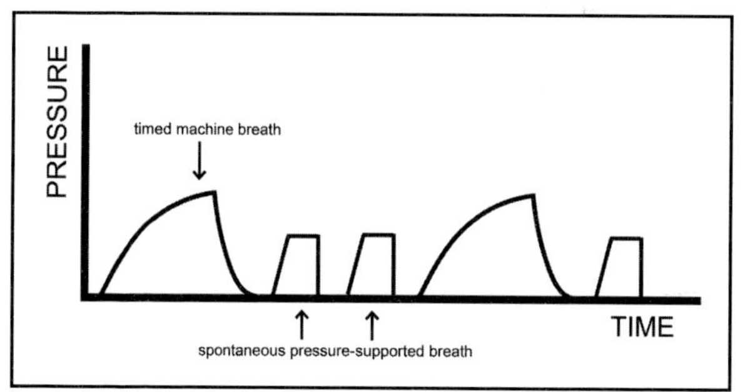

SIMV는 설정된 호흡수의 기계호흡과 환자가 유발한 호흡의 혼재되 있다. 환자가 유발한 호흡은 필요에 따라 압력지지에 의해 "부양(boosted)"된다.

환자에게 SIMV를 처음 적용하는 경우 보조제어환기(assist-control ventilation)에서 설정하는 조건과 비슷하게 호흡수 및 일회호흡량을 설정해야 한다. 즉, 일회호흡량은 6-8 mL/kg PBW (ARDS의 경우에는 4-6 mL/kg PBW)이고 호흡수는 분당 12-18회로 설정한다. 압력지지(pressure support)는 보통 10 cm H_2O로 설정하며, 자발호흡의 일회호흡량이 너무 낮으면(3-4 mL/kg 미만) PS레벨을 높일 수 있다. 환자가 급성호흡부전로부터 회복하기 시작하면 PS레벨은 그대로 유지하면서 인공호흡기의 호흡수를 낮춘다. 이것은 환자가 본인의 자발호흡에 더 의존하고 있고 인공호흡기에 덜 의존하고 있다는 것을 의미한다. 이 과정을 발관준비(extubation)가 완료될 때까지 계속한다.

보조제어(assist-control)로 할 수 있는 것보다 더 빨리 인공호흡기로부터 환자를 이탈(weaning) 시키는 방법으로 IMV, 나중에 SIMV가 도입되었다. 그러나 이 주장이 입증된 바는 없으며 당연한 것이다. 왜냐하면 인공호흡기는 환자가 질병이나 부상으로부터 회복하는데 직접적인 역할을 하는 것이 아닌 보조적인 역할을 하는 것이기 때문이다. 다르게 말하면, 환자가 회복되어 이탈준비가 되어 있으면 인공호흡모드와 상관없이 인공호흡기로부터 이탈이 가능하다. 압력보조(pressure support)를 적용하여 점차적으로 호흡근 사용을 증가시키고 인공호흡기가 보조하는 호흡수를 낮추는 것 또한 치료결과를 향상시키지 못했다. 현 시점에서 가장 효과적인 인공호흡기 이탈방법은 T- 피스 또는 낮은 수준의 압력지지환기(low-level pressure support ventilation) 상태에서 매일 자발호흡시험(spontaneous breathing trial)을 해보는 것이다[8].

횡격막위축을 예방한다는 주장도 마찬가지로 근거가 없다. 횡격막은 일생동안 수축하는 근육이며,보조제어환기를 한다고 해서 횡격막의 위축을 막을 수는 없다. 호흡근의 위축은 신경근차단제의 장기투여, 코르티코스테로이드 투여, 영양부족 및 중증질환 그 자체 때문이다. **따라서 어떤 특정 환기모드를 적용하더라도 이들 중 어떤 것도 횡격막위축을 예방할 수 없다.**

그럼에도 불구하고 환자의 호흡일(work of breathing)과 편안함에 주의하면서 환자의 자발호흡노력에 필요한 만큼의 압력지지(pressure support)레벨과 호흡수를 조정하는 범위 안에서 호흡보조를 시행하는 것은 아무런 문제가 없다. 그러나 자발호흡시험은 반드시 매일 시행해야 한다. 이 문제는 정말로 어떤 특정 병원의 의사나 호흡치료사의 선호도와 또 환자들을 치료하는데 있어서 이들이 얼마나 자발호흡시험(SBT)을 얼마나 편안하게 느끼는지에 달려있다.

10

압력보조환기

Pressure Support Ventilation

자, 환자의 호흡욕동(respiratory drive)은 충분하지만 인공호흡기의 보조없이 호흡할 수 있을 정도로 적절히 준비가 되어 있지 않다고 가정해 보자. 압력보조환기(PSV)는 환자가 자발호흡을 할 수 있도록 허용한다. 실제로, PSV에서는 호흡수의 설정이 없으므로 환자의 자발호흡하는 것 이외의 다른 환기방법은 없다. 환자가 1분에 4번 호흡하던지 아니면 40번을 호흡하던지, 환자가 호흡하는 만큼 숨을 쉬게 되는 것이다.

PSV는 깊은 진정상태에 있거나 신경근차단제를 투여 받고 있는 환자에서 적용되어서는 안 된다(이것은 그저 상식일 뿐이다). 또한 쇼크상태에 있거나 대사요구량이 높거나 심한 폐 손상 또는 ARDS환자들에게 최적의 모드는 아니다. 이런 환자에서는 보조조절환기(assist-control)같은 모드가 더 좋다. 또한 약물과다복용, 간질지속상태(status epilepticus), 신경근육질환, 뇌간뇌졸중(brainstem strokes), 상부경추손상(high cervical spine injuries) 등과 같이 환자의 적절한 환기능력이 손상될 수 있는 상황에서 환자의 호흡이 안정적이지 못할 때는 보조조절환기(assist-control) 모드가 더 좋다.

PSV는 "회복모드(recovcry mode)"에 가깝다고 생각해보자. 질환이나 손상의 초기, 가장 심각한 상태가 지나가면 환자는 인공호흡기의 도움을 약간 받아 자신의 환기상태을 유지할 수 있는 가능성을 보이게 되는데, 이때 압력보조의 사용을 고려해 보면 된다.

인공호흡기가 제공하는 압력보조는 환자의 호흡노력에 도움을 준다. 환자가 인공호흡기를 유발할 때(환자가 호흡을 시작하고 인공호흡기가 이를 감지할 때) 인공호흡기는 호흡회로의 압력을 설정된 수준까지 증가시켜서 인공호흡기로부터 흡기가스가 환자의 폐로 공급되도록 한다. 일회호흡량이 어느 정도 전달될 것인가는 호흡기계의 유순도에 달라진다. 유순도란 부피변화를 압력변화로 나눈 것임을 잊지 마라. 만약 압력보조를 10 cm H_2O로 설정했는데 일회호흡량 400 mL이 공급된다면 이 환자의 호흡기계 유순도는 40 mL/cm H_2O가 된다. 유순도가 좋아지면(예: 폐부종의 호전되거나 호흡근력의 향상, 또는 대량흉수를 제거한 후) 설정된 일회호흡량을 공급하는데 필요한 압력의 크기는 감소한다. 압력보조(pressure support)를 환자가 자발호흡 중 적절한 일회호흡량을 확보하기 위해 필요한 부양책(boost)이라고 생각하면 된다.

환자가 인공호흡기를 유발하는 것이 인공호흡기로 하여금 기도압력을 올리거나 부양책(boost)을 공급하도록 명령하는 것이라면, 이것을 중지시키는 방법은 무엇인가? 정답은 유량(flow)이다. 인공호흡기가 처음 압력을 높일 때, 예를 들어 15 cm H_2O까지 높인다면 환자의 폐로 들어가는 공기의 흐름은 그 즉시 최대로 된다. 공급된 가스로 폐가 채워지기 시작하면 일정한 압력(constant pressure)이 설정된 경우 가스공급량은 점점 더 적어진다. 환기(흡기)보조를 중지하라는 신호가 없다면, 설정된 압력보조(PS)수준과 환자 폐의 압력이 같아질 때까지 인공호흡기는 흡기가스를 계속 공급할 것이다. 상상이 가능하겠지만, 이같은 상황은 환자에게 많이 불편하다. 해결방법은 유량주기(flow-cycle)의 기계환기법을 적용하는 것이다. 흡기류가 초기 흡기유량의 특정 퍼센트(보통 25%임)까지 떨어지면 압력을 기준선(0 또는 어떤 압력이든 관계없이 설정된 PEEP수준)까지 하강하도록 인공호흡기를 프로그래밍할 수 있다. 기준을 보통 초기 흡기유량의 25%로 설정하지만 환자-인공호흡기의 동기화(patient-ventilator synchrony)를 좋게 하기 위해 변경할 수 있다.

예를 들어, 압력보조환기를 받고 있는 환자에서 인공호흡기를 호기말양압(PEEP) 5 cm H_2O, 압력보조(PS) 15 cm H_2O로 설정했다고 가정하자. 자발호흡모드이므로 호흡수나 일회호흡량에 대한 설정은 당연히 없다. PSV에서 환자는 자신의 환기량를 결정하는 자발호흡 상태임을 기억하라. PS는 환자의 유순도에 따라 어느 정도 일회호흡량을 추가할 수 있는 일종의 부양책이다. 유량주기(flow-cycle, 인공호흡기가 PS를 중지하는 신호)는 초기 흡기유량의 25%이다.

이 때 환자가 인공호흡기를 유발하면 기도압력이 5 cm H_2O (PEEP)에서 20 cm H_2O (PEEP + PS)으로 상승한다. 흡기가 시작될 때 흡기유량은 분당 40리터의 속도이다. 인공호흡기는 흡기유량이 분당 10리터(즉 초기유량의 25%)로 떨어질 때 까지는 환자의 폐로 흡기가스가 공급되어 기도압을 20 cm H_2O로 유지하게 된다. 흡기유량이 초기유량의 25%로 떨어지면 인공호흡기는 기도압을 흡기초기 PEEP 수준인 5 cm H_2O까지 떨어뜨린다. 그러면 환자는 수동적으로 호기를 하게 된다.

PS를 어느정도 설정해야 하는지는 환자상태에 달려 있다. 압력보조는 부양책(boost)임을 기억하라. 환자의 호흡근이 피로에 빠지거나 유순도가 나빠지면(폐렴, 폐부종 등) 더 높은 PS가 더 필요하다. 환자가 회복하여 점점 강해지면 PS를 낮출 수 있다. PS가 어느정도 필요한가를 판단하는 가장 좋은 방법은 환자상태를 지켜보는 것이다.

또 다른 예: PSV로 환기 중인 여자환자로 호기말양압(PEEP) 5 cm H_2O, 압력보조(PS)10 cm H_2O로 설정하였다. 환자의 환기상태은 호흡수 30회/분, 일회호흡량 200 mL 초반이다. 확실히, 이 정도의 PSV설정은 이 환자에서 충분한 보조가 되지 못한다! 그러므로 PS를 20 cm H_2O 까지 높여 보자. 설정 변경 후, 환자의 호흡수는 분당 8회 일회호흡량은 800-900 mL이다. 이 상태에서 환자는 확실히 많이 편안해졌다. 그렇지만 적절한 일회호흡량은 6~8 mL/kg 예상체중(PBW)이다. 만일 이 환자가 2 m가 넘는 여

자농구선수가 아니라면, 일회호흡량 8-900 mL는 너무 많다. 따라서 PS를 14 cm H_2O로 낮추었을 때 호흡수가 16-20회/분, 일회호흡량이 380-450 mL로 된다면 적절한 설정이라고 할 수 있다. 따라서 적절한 설정을 결정하기 위해 환자를 직접 보는 것이 중요하다. 즉, 호흡보조근의 사용, 발한(diaphoresis), 빈맥, 역설적인 복식호흡(paradoxical abdominal breathing, 흡기 시 복부가 팽창해야 하지만 그 반대로 움직이는 상태)은 모두 현재 설정된 인공호흡기가 환자의 요구를 충족시키지 못하고 있다는 신호다.

인공호흡기 이탈과정에서 PSV를 적용하는 것은 매우 간단하다. 환자가 호전되면, 편안하게 호흡하는데 필요한 압력보조 수준이 줄어들 것이다. 환자의 호흡근력이 호전되면 PS(위에서 설명한 대로)를 낮출 수 있다. 편안하게 호흡하는데 필요한 PS의 수치가 10 cm H_2O 이하가 되면, 자발호흡시험(spontaneous breathing trial, SBT)이 필요한 시점이다. 자발호흡시험은 너무나 중요한 주제이므로 이 책의 15장에서 별도로 설명한다.

용적보조환기(Volume Support Ventilation)

이쯤되면 PSV가 좋은 환기모드라는 확신이 생겼으리라 믿는다. 그러나 이 모드에도 약간의 단점이 있다. 첫째로, 그리고 가장 심각한 단점은 인공호흡기의 호흡수를 설정하는 것이 없다는 것이다(이미 여러 번 언급했지만 반복해야 할 가치가 있다). 따라서 무호흡이 지속되거나 높은 수준의 PS에도 불구하고 고탄산혈증

소견을 보이는 환자들은 조절환기(controlled mode)모드로 전환해야 한다.

두 번째 단점은 PSV에 의해 발생한 일회호흡량은 신뢰할 수 없다는 것이다. 신뢰할 수 없다는 것은 PSV에 의해 일회호흡량의 증가를 믿을 수 없다는 뜻은 아니다. 그럼에도 PSV 모드로 환기 중 일회호흡량이 크게 변동될 수 있다는 것을 언급하고 싶다. PSV에서는 압력보조수준이 의사가 설정하는 수치로 고정된다는 점을 기억하자. 따라서 공급되는 일회호흡량은 유순도와 호흡근력에 따라 달라진다. 환자의 호흡근이 피로해지거나, 유순도가 나빠지면 일회호흡량은 감소한다(그러면 분당환기량을 그대로 유지하기 위해 환자의 호흡수는 상승한다). 아침회진 시 PEEP 5 cm H_2O와 PS 10 cm H_2O의 설정에서 500 mL의 일회호흡량, 호흡수 20회/분 미만, 기관내관을 한 상태로 미소지으며 아주 좋은 상태를 보였던 환자가 있다. 그러나 늦은 오후가 되었을 때 이 환자는 피로에 빠질 수 있다. 환자가 호흡을 유발할 때 마다 인공호흡기는 아침회진 시의 설정과 똑같은 5-15 cm H_2O (PEEP + PS)의 압력을 공급하고 있지만, 일회호흡량은 300 mL로 감소하였고 호흡수는 35회/분으로 증가하였다. 이와 같은 변화는 적절한 것이 아니다.

이 같은 상황에 대한 한 가지 해결방법은 하루 종일 인공호흡기 옆에서 호흡치료사가 압력보조수준(pressure support level)을 조정하게 하는 것이다. 일회호흡량이 원하는 것보다 많을 때는, 호흡치료사가 PS를 낮출 수 있고, 일회호흡량이 원하는 것보다 감소하면 PS를 높일 수 있다. 예를 들어, 회진 시에 환자의 적절한 일회호흡량을 450 mL로 결정하고 인공호흡기를 조절해 보면서 12 cm H_2O의 PS에서 몇 mL의 차이는 있지만 450 mL의 일회호흡량을 생성한다는 것을 알게되었다. 우리가 신뢰하는 호흡치료사가 관리를 시작하는데 마치 매와 같은 눈으로 경계하며 일회호흡량을 주시한다. 만약 390 mL으로 떨어지면 호흡치료사는 그 즉시 PS를 15 cm H_2O로 올리고 따라서 일회호흡량은 450 mL으로 올라간다. 하지만 잠깐! 현재는 일회호흡량이 520 mL로 올라갔어! 그래서 PS를 13 cm H_2O으로 낮춘다. 기타 등등… 이와 같이 길고 긴 변경작업을 계속해야 한다.

그러나 이같은 해결책은 엄청난 인력낭비가 될 것이다. 인공호흡기마다 전담 호흡치료사를 근무하게 하는 대신에 인공호흡기가 이같은 일을 하도록 할 수 있다면 어떨까? 그것이 바로 용적보조환기(Volume Support Ventilation, VSV)이다. 원하는 일회호흡량과 PEEP를 설정하면 인공호흡기가가 자동으로 압력보조수준(PS level)을 위, 아래로 조정하여 원하는 일회호흡량을 공급하도록 하는 것이다. 인공호흡기의 컴퓨터는 매 3번의 호흡마다 일회호흡량을 분석하여 압력보조수준을 조절한다. 그러나 이것은 여전히 압력보조환기(PS) 모드이다. 따라서 인공호흡기의 호흡수 설정은 없고 유량주기(flow-cycle)로 작동하나, PS가 이면에서 작동하며 환자 상태에 따라 압력보조수준이 변한다.

용적보조환기(Volume Support Ventilation, VSV)는 인공호흡기의 기술의 발전과 함께 PSV가 자연스럽게 발전한 것이다. 이것은 환자의 자발호흡을 허용하면서 환자의 유순도와 호흡노력의 변화에 따라 압력보조수준을 조정한다. 환자가 얼마나 VSV에 잘 적응하고 있는지는 쉽게 알 수 있는데 그 방법은 간단하게 환자상태와 최고기도압(peak airway pressure)만 보면 된다. 최고기도압은 PEEP과 전달된 압력보조(level of pressure support)의 합이라는 것을 기억하자(따라서 PEEP이 5 cm H_2O이고 PS가 10 cm H_2O이면 최고기도압은 15 cm H_2O가 된다). VSV은 PS를 높게 또는 낮게 조절하여 원하는 일회호흡량을 공급하게 된다. 그리고, 원하는 일회호흡량을 450 mL, PEEP 5 cm H_2O라고 하자. 우리가 환자를 처음에 VSV모드로 설정하였을때, 이 환자의 최고기도압은 17 cm H_2O였다. 이것은 우리가 원하는 일회호흡량을 공급하기 위해 필요한 PS가 12 cm H_2O (=17 – 5)라는 것을 의미한다. 그런데 다음날, 최고기도압이 22 cm H_2O로 올라갔다면. 이는 환자가 그전보다 더 높은 부양책(boost)으로써 보다 높은 수준의 PS가 필요함을 의미한다(이 경우 환자가 악화되고 있는 상태를 의미한다).

그 다음날, 만일 최고기도압이 9 cm H_2O로 떨어졌다면 이 환자상태는 호전되어 가는 것이고 일회호흡량 450 mL를 공급하기 위해 필요한 PS수준이 낮아진다. 그렇다면 환자는 확실히 호전된 상태이며, 이 경우 10 cm H_2O 이하의 PS가 필요한 상태이기 때문에 자발호흡시험(SBT)의 실행이 필요한 시점이다.

11

호기말양압 및 지속적기도양압

PEEP and CPAP

고등학교 과학시간에 우리는 숨을 들이마시면 혈류 안으로 산소가 들어오고 숨을 내쉬면 몸에서 이산화탄소가 제거된다고 배웠다. 가스의 흐름으로 보면 이것은 사실이다. 하지만, 우리가 몇 초, 심지어 몇 분 동안 호흡을 정지하더라도 가스교환이 중단되지 않는다는 것을 알고 있다. 호흡을 멈추고 있더라도 기능잔기용량(functional residual capacity, FRC)이라고 불리는 공간에서 폐혈류순환 및 폐포가스교환은 여전히 진행된다. FRC는 호흡이 일시적으로 중지(물 속에서 잠수하거나 한 덩어리의 고기로 후두가 막힐 때와 같이)되더라도 가스교환이라는 중요한 기능을 유지하는 폐의 "예비구역"이다. 만일 사람이 이런 기능을 가지고 있지 않았다면, 생존이 힘들었을 것이다!

침대에 누워 있는데 누군가 크고 무거운 모래주머니를 갑자기 당신의 가슴 위에 떨어뜨렸다면, 그 즉시 숨쉬기 힘들 것이다. 왜냐하면 모래주머니의 무게때문에 호흡근의 움직임이 약해지고 FRC가 압박을 받기 때문이다. 반면에 똑같은 모래주머니가 당신에게 떨어지기 몇 초 전에 사전경고를 받았다면 숨을 깊게 들이쉬고 가슴과 복근을 지지대 삼아 충격을 줄일 수 있었을 것이다(PEEP을 설정하는 것과 비슷하다). 가슴을 향해 떨어지는 모래주머니의 무게를 상상해보면서 지금 당장 심호흡을 해볼 수 있다.

한 가지 더 예를 들어보자. 고속도로에서 자동차를 타고 고속주행 시 창밖으로 머리를 내밀면 숨을 들이쉴 때마다 입안으로 공기가 밀려 들어오고, 숨을 내쉴 때마다 저항이 느껴질 것이다. 이는 사실상 지속적기도양압(CPAP) 즉, 흡기, 호기 전 구간에서 호흡기계에 가해지는 압력이다. CPAP과 자발호흡 시에 적용된다.

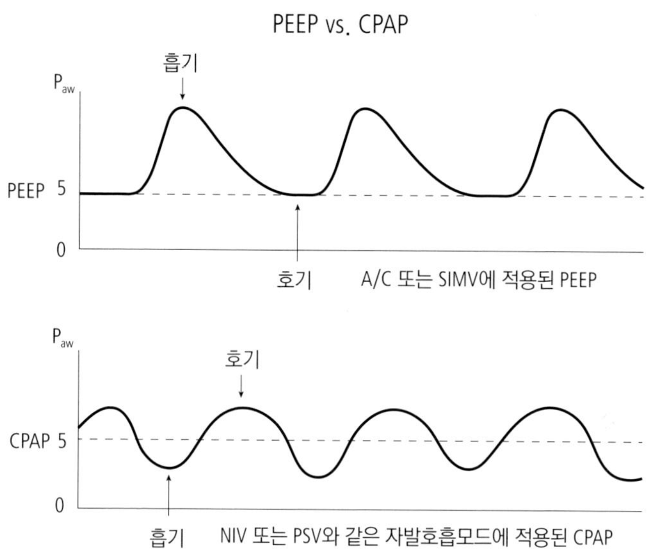

호기말양압(PEEP)은 CPAP과 매우 유사하며, 기계환기 중에 작동하는 압력지지대(pressure-splint)라고도 지칭할 수 있다. 인공호흡기에서 나오는 흡기압도 양압이기 때문에 PEEP은 진짜 CPAP이 아니지만, FRC를 유지하거나 증가시켜 허탈상태에 빠질 수 있는 폐포를 팽창(개방)된 상태로 지지해주는 역할에 있어서는 CPAP과 거의 동일한 방식으로 작용한다. 이론적으로 PEEP은 A/C 또는 SIMV와 함께 사용되는 용어인 반면 CPAP은 비침습적환기 (NIV)또는 압력지지환기(PSV)를 적용할 때 사용된다.

FRC를 감소시키고 폐포가 삼출액으로 차거나, 허탈상태가 되는 질병과 질환에는 ARDS, 폐부종, 폐렴, 흡인성폐렴, 폐좌상, 폐포출혈 등이 있다. 이 모든 상태는 단락분율(shunt fraction, 관류는 되나 환기가 안되는 폐포단위의 비율)을 증가시킴으로써 저산소성호흡부전(hypoxemic respiratory failure)을 초래한다. PEEP을 적용하여 허탈된 폐포단위를 개방하거나, 호기 중 허탈에 빠지는 것을 방지하고, 따라서 단락분율을 감소시킬 수 있다.

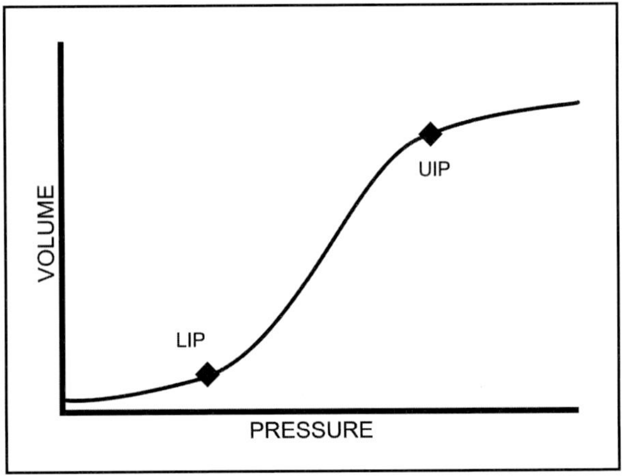

완전히 허탈 상태의 폐에서, 폐포를 "갑자기 열리게(pop open)" 하려면 기도압력을 높여야 한다. 일단 이 지점에 도달하면 폐가 쉽게 부풀어 오른다. 이와 같이 "갑자기 열리는(pop open)"지점을 LIP (Lower Inflection Point, 하위변곡점)라고 하며, 삼출액이 들어찬 폐포를 열고 안정된 상태로 유지하는데 필요한 PEEP을 보여준다

폐가 팽창하면 압력을 더 높여도 부피가 더 늘어나지 않는 완전히 팽창된 지점에 이를 것이다. 이 지점을 UIP (Upper Inflection Point, 상위변곡점)라고 한다. UIP는 폐포의 과팽창이 시작되는 지점을 표시한다.

이 그래프가 보여주고 있는 것은 폐의 유순도를 이해하는 좋은 그림이다. 그러나 실제 임상에서 기계환기 중인 환자의 LIP와 UIP를 결정하는 것은 매우 어려울 수 있다.

PEEP과 CPAP은 좌심실기능에도 유익한 영향을 미친다. 흉곽내압(intrathoracic pressure)이 증가하면 작은 비율이지만 전부하(preload)를 약간 감소시켜 비보상울혈성심부전(decompensated congestive heart failure)을 호전시킬 수 있다. 또 한 가지 중요한 것은 PEEP과 CPAP이 좌심실 후부하(afterload)를 또한 감소시킨다. 후부하는 심실을 가로지르는 경벽압(transmural pressure)인데 다르게 표현하면 심실내압(수축기압)에서 흉막압을 뺀 것이다. CPAP과 PEEP은 흉곽내압을 증가시키기 때문에 결과적으로 흉막압이 증가되어 두 압력의 차이(즉 후부하)가 감소된다. 후부하의 감소가 좌심실기능에 긍정적인 영향을 미친다.

일반적으로 PEEP은 흉부X선 사진에서 폐의 공기음영 때문에 검게 보여야 할 정상적인 폐가 하얗게 보이는 상태에서 저산소혈증을 교정하는 데 사용해야 한다. 즉, 흉부X선 소견에서 공기공간폐경화(airspace consolidation)이나 폐침윤(pulmonary infiltration)이 관찰될 때 PEEP을 사용한다.

대부분의 환자에서 기계환기치료를 시작할 때 PEEP을 3-5 cm H_2O 정도 설정한다. 이론적으로, 이 정도의 PEEP은 폐의 의존성 부위에서 자주 발생하는 무기폐를 예방하고 환기-관류비를 적절히 유지하는데 도움이 된다. 이 정도로 낮은 수준의 PEEP은 일반적으로 해롭지 않다.

보다 심한 저산소성 호흡부전, 특별히 ARDS에서는 PEEP을 높이면 가스교환(gas exchange)과 폐동원(lung recruitment)이 호전될 수 있다. 최적의 PEEP은 알 수 없지만, 보통 8-15 cm H_2O 정도면 충분하다. ARDSNet 연구에서 100% 산소를 투여할 때

18-24 cm H_2O의 PEEP이 필요한 PEEP/FiO_2표를 사용했다.[4] 이후의 ALVEOLI 연구에서는 PEEP의 설정을 두 군 즉 높은 수준(higher PEEP table)과 낮은 수준의 PEEP (lower PEEP table) 계산표를 각각 적용하여 두 군의 사망률의 차이를 비교했으나 두 군간의 유의한 사망률의 차이는 발견할 수 없었다.[9] 그렇지만 정도의 차이는 있으나 두 군 모두에서 PEEP을 적용하였다는 것은 기억해야 할 중요한 점이다.

유순도가 개선되고 산소공급이 호전할 때까지 PEEP을 높이는 방법은 수용 가능한 것이다. 그러나 고원압을 잘 감시해야 한다. 만약 PEEP을 높인 것 보다 고원압이 더 많이 상승하면 폐포동원(recruitment)이 이루어지지 않는 상태이며 따라서 폐가 과팽창 될 수 있다. 감속PEEP적정법(decelerating PEEP titration approach)을 사용하는 것도 허용되는데 즉, 일회호흡량을 6 mL/kg PBW으로 설정한 상태에서 우선 PEEP을 20 cm H_2O로 높게 설정한다. 산소포화도를 적절히(SpO_2 88-94%) 유지하기에 충분한 수준으로 FiO_2를 설정한 다음 매 3-5분마다 산소포화도와 환자의 유순도를 확인하면서 PEEP를 1-2 cm H_2O 간격으로 낮춘다. SpO_2가 88% 미만으로 떨어지거나 유순도가 나빠지면 이 같은 현상이 발생하는 수준의 PEEP에서 1-2 cm H_2O 높게 PEEP을 설정한다.

과도한 PEEP의 주요 합병증은 폐포의 과팽창으로 정맥환류장애(및 저혈압)가 발생하거나 폐모세혈관을 압박하여 가스교환장애가 발생하는 것이다. 정맥환류장애는 보통 10-12 cm H_2O 미만의 PEEP에서는 발생하지 않는다. 이정도의 PEEP에서 혈압이 떨어지는 경우 환자는 대개 저혈류량(hypovolemic)상태이며, 이때는 수액투여(fluid challenge)를 시행해 보는 것이 적절하다. 만약 폐포의 과다팽창이 가스교환에 영향을 주고 있다면, 이것은 사강환기(관류 없는 환기)가 증가되는 형태가 될 것이다. 이때 $PaCO_2$는 상승하고 PaO_2는 하락할 것이다.

여러분이 들어봤을지 모르겠지만 PEEP은 인공호흡유발 폐손상(ventilator-induced lung injury, VILI)의 주요 원인은 아니다.[6] VILI는 주로 흡기시 과도한 폐포팽창에 기인하며, 압력손상(barotrauma)이 아닌 용적손상(volutrauma)이다. 팽창압과 관계없이 과도한 일회호흡량은 폐포손상, 폐간질폐기종(pulmonary interstitial emphysema), 기흉(pneumothorax), 종격동기종(pneumomediastinum) 등으로 진행할 수 있다. 이것이 과거에 사용했던 것보다 좀 더 생리학적인 일회호흡량(4-8 mL/kg)을 사용하고 있는 근거이다.[4]

일단 FiO_2 요구량이 50-60% 미만으로 감소하게 되면 환자가 견딜 수 있는 범위 안에서 PEEP을 단계적으로 줄여볼 수 있다. 이때 만일 환자의 유순도가 악화되거나 저산소증이 발생하면 폐포재허탈(alveolar derecruitment)이 발생했음을 의미한다. 통상적으로 PEEP을 낮출 수 있는 한도는 5 cm H_2O까지이나, 5 cm H_2O의 PEEP설정도 임의로 받아들여지는 수치이다. 일반적으로 FiO_2 40%와 PEEP 5 cm H_2O에서 산소화 상태가 적절한 환자들은 자발호흡시험과 발관을 위한 평가를 시작해야 된다.

Setting PEEP by Chest X-ray

Chest X-Ray	Initial PEEP
Clear	5 cm H_2O
Scattered Infiltrates	10 cm H_2O
Diffuse Dense Infiltrates	15 cm H_2O
Bilateral White Out	20 cm H_2O

Setting PEEP by Oxygenation in ARDS[10]

Degree of ARDS	PaO_2/FiO_2 Ratio	PEEP
Mild	201-300	5-10 cm H_2O
Moderate	101-200	10-15 cm H_2O
Severe	≤100	15-20 cm H_2O

ARDSNet PEEP계산표 사용하기(Using the ARDSNet PEEP Tables)

- PaO_2 55-80 또는 SpO_2 88-94%를 유지하기 위해 필요한 대로 표의 위, 아래로 조정하여 적용할 PEEP을 선택한다.

- ALVEOLI 연구[9]에 따르면, lower PEEP table VS. higher PEEP table 그 어떤 계산표(table)를 적용하더라도 더 좋

은 효과를 보여주지 못했다. 따라서 환자의 임상상태에 따라 적절한 계산표(table)를 선택하면 된다 - 예를 들어 혈류역학적으로 불안정한 상태이거나 기흉이 있는 환자에서는 - "lower PEEP table"을 적용하는 것이 더 좋을 수 있다. 반면에 심한 흉부둔상(blunt chest trauma)나 복벽외상(abdominal wall trauma) 또는 비만환자(obesity)에서는 "higher PEEP table"을 적용하는 것이 더 유익할 수 있다.[9]

- 1,010명의 환자들을 대상으로 한 무작위대조시험에서 폐포동원술(alveolar recruitment maneuvers)과 적극적인 " higher PEEP table"을 동시에 시행한 군에서 통상적인 lower PEEP table을 적용한 대조군보다 6개월 사망률(65.3% 대 59.9%)이 더 높다는 결과를 보여주었다.[11] 따라서 이와 같은 결과는 대부분의 ARDS 환자에서 "lower PEEP table"이 좋다는 것을 의미한다.

Lower PEEP Table

FiO_2	PEEP
30%	5
40%	5
40%	8
50%	8
50%	10
60%	10
70%	10
70%	12
70%	14
80%	14
90%	14
90%	16
90%	18
100%	18
100%	20
100%	22
100%	24

Higher PEEP Table

FiO_2	PEEP
30%	5
30%	8
30%	10
30%	12
30%	14
40%	14
40%	16
50%	16
50%	18
50%	20
60%	20
70%	20
80%	20
80%	22
90%	22
100%	22
100%	24

12

유발과 유량

Trigger and Flow

유발(Triggering)

유발(triggering)은 환자가 어떻게 인공호흡기에게 자신이 숨쉬고 싶다는 것을 전달하는지 설명하는데 사용되는 용어다. 유발기전(triggering mechanism)에는 두 가지 유형이 있다. 즉, 압력변화와 유량변화를 감지하여 유발하는 방법이다.

압력유발(pressure triggering)을 위해서 환자는 호기말압(end expiratory pressure)에서 사전에 설정된(일반적으로 1-4 cm H_2O 범위)정도로 기도압을 낮출 수 있어야 한다. 예를 들어 PEEP 5 cm H_2O, 압력유발감도(pressure trigger sensitivity) 2 cm H_2O로 설정되어 있는 상태에서 인공호흡기가 환자의 호흡노력을 감지하고 일회호흡량을 공급하도록 하려면 환자는 기관내관압을 3 cm H_2O로 낮출 수 있어야 한다. 정상상태에서는 유발을 위해 많은 노력이 필요하지 않다. 그러나 만성폐쇄성폐질환, 천식 또는 동적과팽창(dynamic hyperinflation, auto PEEP)이 발생할 수 있는 기타 다른 조건을 가진 환자들에게서 압력유발(pressure triggering)은 문제를 유발할 수 있다. 예를 들어, PEEP이 5 cm H_2O로 설정되어 있는 환자에서 발생한 내인성호기말양압(intrinsic PEEP) 또는 자가호기말양압(auto-PEEP)이 12 cm H_2O라고 가정해 보자. 설정된 PEEP 5 cm H_2O만 생각하면 압력유발감도(pressure trigger sensitivity)를 2 cm H_2O로 설정하는 경우 환자가 인공호흡기를 유발하려면 호기말압을 3 cm H_2O (5-2=3)까지만 낮추면 된다. 그러나 내인성호기말양압(intrinsic PEEP)이 12 cm H_2O인 상황이므로 실제로 인공호흡기의 흡기를 유발하기 위해서는 환자의 호흡노력으로 -9 cm H_2O까지 흉강압을 낮추어야 된다. 아무리 작다고 말하더라도 이 정도로 압력유발하는 것은 꽤 힘들다.

비효율적인 흡기유발은 환자가 흡기유발을 위해 노력하고 있는데도 인공호흡기의 환기보조가 시작되지 않고 있는 상태이며 진찰을 통해 다음과 같은 소견을 관찰할 수 있다. 환자의 가슴에 손을 얹어 보았을 때 숨 쉬려고 하는 환자의 움직임은 느껴지나 인공호흡기가 흡기를 공급하지 않거나, 환자의 유발노력과 공급된 환기보조 사이에 현저한 지연이 있다면 비효율적인 흡기유발이 존재한다고 볼 수 있다. 또한 비효율적인 흡기유발은 흉막압의 변화를 반영하는 식도압의 변화를 관찰하여 확인할 수 있다.

식도압의 음성편향(negative deflection)이 보이는데도 불구하고 인공호흡기의 흡기공급이 동반되지 않는다면 환자가 인공호흡기를 유발하지 못하고 있음을 의미한다. 식도압탐침(esophageal probe)을 삽입하는 것과 진찰해 보는 것 두 방법 모두 비효율적인 흡기유발을 확인하는데 비슷한 신뢰도를 보이나 진찰을 통해 확인하는 것이 당연히 훨씬 쉽다.

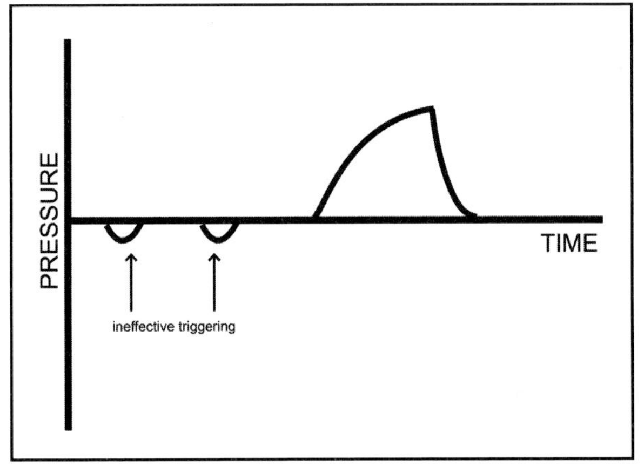

이 그림은 호흡을 유발하려는 환자의 노력을 인공호흡기가 인식하지 못하는 것을 보여준다. 이는 과팽창(hyperinflation), 호흡근 약화 또는 너무 낮은 유발감도(trigger sensitivity) 때문이다.

유발(triggering)을 쉽게 하기 위해 대부분의 인공호흡기는 흡기류(inspiratory flow)의 변화에 의해서도 흡기가 유발될 수 있도록 허용한다. 기류유발(flow triggering)은 대개 분당 1-6 L의 범위에서 설정되며 환자의 내인성호기말양압(intrinsic PEEP)과 무관하다. 기류유발(flow triggering)의 잠재적인 문제점은 압력유발에서 관찰된 것과 반대다. 기류유발(flow triggering) 설정치가 너무 낮으면 환자가 유발하려고 하지도 않았는데 유발이 발생하는 즉 "자동-주기(auto-cycle)"가 인공호흡기에서 발생할 수 있다. 인공호흡기튜브 속의 물, 분비물에 의한 진동, 과역동심수축(hyper-dynamic cardiac contractions) 및 환자의 움직임 등이 모든 것들이 기류변화를 일으켜 인공호흡기가 유발되어 환기보조를 시작할 수 있다. 인공호흡기의 모니터에 여러 개의 호흡이 촘촘히 보이면 이런 일이 일어나고 있다는 것을 알 수 있다. 이에 대한 해결책은 유발설정의 민감도를 낮추거나 압력유발(pressure triggering) 방식으로 전환하는 것이다.

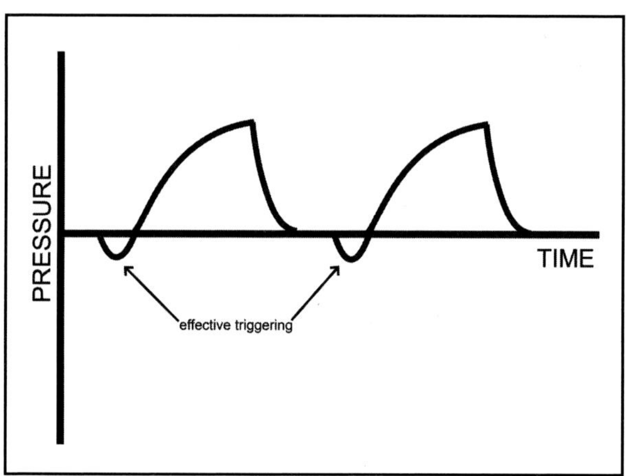

효과적인 유발(effective triggering)은 환자가 숨쉬려는 노력을 보인 직후 인공호흡기가 공급하는 호흡으로 이어진다.

유량(Flow)

우리가 호흡할 때, 흡기류(inspiratory flow)는 정현곡선형(sinusoidal pattern)의 형태를 보여준다. 흡입기류는 일회호흡량에 거의 도달할 때까지 급격히 증가하다가 흡기류가 0이 될 때까지 점차 줄어든다. 그리고 나서 호기는 수동적으로 일어난다. 양압환기를 적용할 때 기류 패턴은 '일정(constant)'하거나 '감속(decelerating)'의 형태이다.

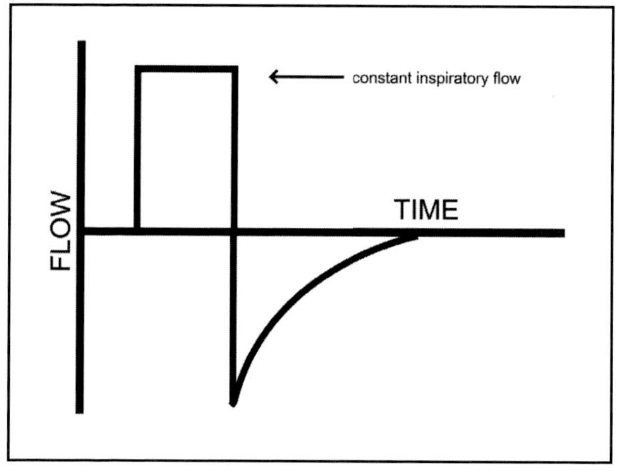

일정기류(constant flow)는 용적조절(volume control)법을 사용하는 구형 인공호흡기에서 흔히 볼 수 있는 패턴이다. 인공호흡기가 흡기가스를 공급할 때 요구밸브(demand valve)가 열리고 설정된 일회호흡량이 공급될 때까지는 일정한 속도로 흡기가스를 공급한 뒤 가스공급을 차단한다. 이것은 풍선을 채울 때 공기압축기를 사용하는 것과 같다. 압축기의 작용이 중단될 때까지 압축공기는 일정한 속도로 풍선 안으로 들어갈 것이다. 이와 같은 기류는 인공호흡기에서는 사각형 모양의 파형(square-topped waveform)으로 보인다. 많은 환자들은 일정기류(constant flow)를 불편하게 느낀다. 일정기류는 빨대를 통해 물을 마시는거나 마찬가지이기 때문이다. 또한 최고기도압도 높아지게 된다(그러나 고원압은 높아지지 않는다. 최고기도압에서 고원압을 뺀 압력차가 기관내관과 전도기도에 전달된다).

감속기류(decelerating flow)는 압력조절환기(pressure control ventilation), 압력보조환기(pressure support ventilation) 및 압력조절용적제어(pressure-regulated volume control) 등에서 보이는 기류패턴이며, 새로 나온 인공호흡기는 용적조절환기(volume control ventilation) 모드에서도 이와 같은 감속기류(decelerating flow) 패턴을 선택할 수 있다. 감속기류의 파형은 경사지붕처럼 보인다. 감속기류에서는 흡기초기에 유량이 최대치에 도달한다. 폐가 공기로 차는 동안(흡기 중) 흡기압은 설정된 압력이 일정하게 유지되며 유량은 감속한다.

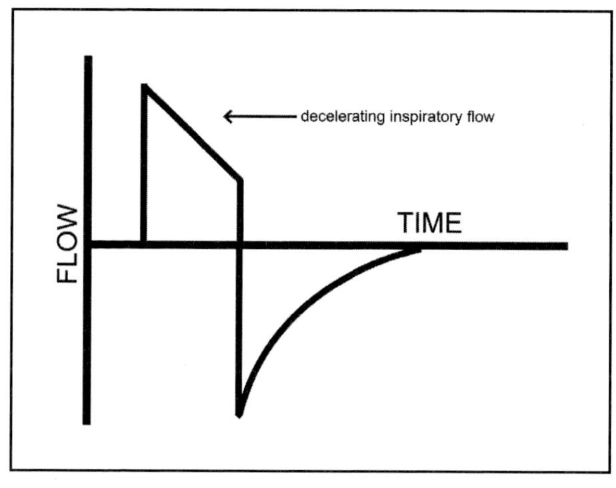

일정기류(constant flow)가 빨대로 물을 마시는 것과 같다면, 감속기류(decelerating flow)는 주전자의 물을 부어 유리컵을 채우는 것과 같다. 처음에 주전자를 기울이면 물이 유리컵으로 굉장히 빨리 흐른다. 유리컵이 채워지면서, 물을 붓는 사람은 물의 유량이 줄어들도록 주전자를 서서히 바로 세운다. 유리컵이 완전히 차게 되면 유량을 멈춘다. 그러면 이제 유리컵을 기도와 폐포의 주형(cast)이라고 상상해 보자. 나뭇가지처럼 구조가 복잡한 폐의 주형물에 물을 채울 때, 주형물 구석구석에 확실하게 물이 채워지게 하려면 물을 천천히 부어야 할 것이다. 만약 이 같은 유추를 확장하여 환기과정에 적용해 보면, 유순도가 낮아 공기의 가스분포가 잘 안되는 영역에는 감속기류가 가스분포에 더 좋은 효과를 보일 것이다.

대부분의 환자들은 감속기류에 잘 견디는 것 같다. 그러나 일부 어떤 환자들에서는 일정기류(constant flow)가 더 좋은 것 같다. COPD악화나 천식지속상태(status asthmaticus)환자들은 종종 심한 공기고픔(air hunger) 상태에 있으며 폐로 공기를 빨리 들이쉬려고 한다. 기류를 낮추는 것은 호흡곤란과 공기고픔(air hunger)을 악화시킬 수 있다.

동적과팽창(Dynamic hyperinflation, auto PEEP)

호기류(expiratory flow)는 수동적이며 폐의 탄력률(elastance)과 기도저항(airway resistance)에 의해 결정된다. 폐탄력률은 유순도의 역수(reciprocal of compliance)인데 유순도는 압력의 변화에 대한 용적의 변화다. 따라서 탄력이 높은 폐는 탄력이 낮은 폐(즉, 높은 유순도)에 비해 훨씬 빨리 반동(recoil)이 일어나며 빨리 내쉬게 된다. 기도저항이 거의 없고 유순도가 낮은(즉, 탄력률이 높은) 폐는 일회호흡량을 내쉬는데 시간이 별로 걸리지 않는다. 공기는 그냥 밖으로 신속하게 빠져나간다. 그러나 기도저항은 높은데 유순도까지 높은(즉 탄력률이 낮은) 폐는 일회호흡량을 내쉬는데 훨씬 더 오래 걸릴 것이다. 후자는 COPD와 천식의 악화에서 관찰된다. 폐로 들어오는 흡기는 문제가 없지만 대기로 배출하는 호기는 어려울 수 있다(반동력이 감소하거나 염증으로 기도가 좁아지거나 아니면 두 가지 모두). 따라서 인공호흡기에서 호기류파형(expiratory flow waveform)을 보고 기류가 기준치 또는 0으로 복귀하는지를 확인하는 것이 중요하다. 만일 그렇지 못하면 동적과팽창(dynamic hyperinflation, auto PEEP)으로 이어질 수 있다. 만약 동적과팽창이 심하면 흉곽내압(intrathoracic pressure)이 증가하고 심장으로의 정맥환류(venous return)도 나빠질 수 있다.

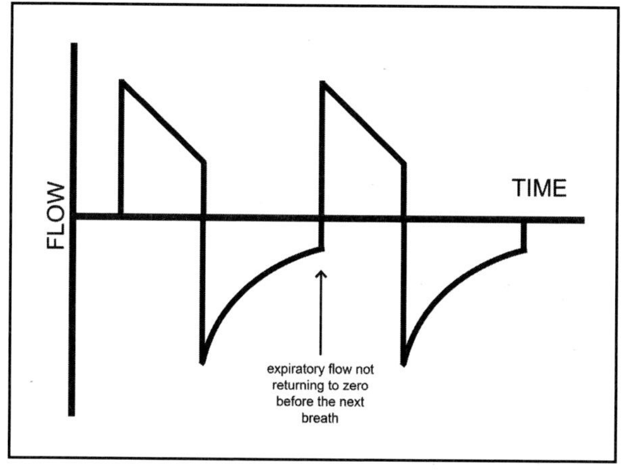

일반적으로 동적과팽창(dynamic hyperinflation, auto PEEP)은 진찰 시 분명해진다. 환자는 자주 불편감을 호소하고, 호기 중 복근이 수축한다(환자가 호기가스를 억지로 배출하려고 한다). 큰 소리의 천명음을 호기 중 계속해서 들을 수 있다. 또한 자가호기말양압(auto-PEEP)이 심해지면 경정맥도 확장될 수 있다. 그리고 인공호흡기에서 호기류(expiratory flow)가 영점기준선(zero baseline)까지 복귀하지 못하는 것을 관찰할 수 있을 것이다. 호기말에 인공호흡기를 0.5-1.0초간 정지하면(호기정지법, expiratory pause maneuver) 호기말폐포압을 측정할 수 있다. 이것이 설정된 PEEP보다 높으면 자가호기말양압(auto-PEEP)이 있는 것을 알 수 있다.

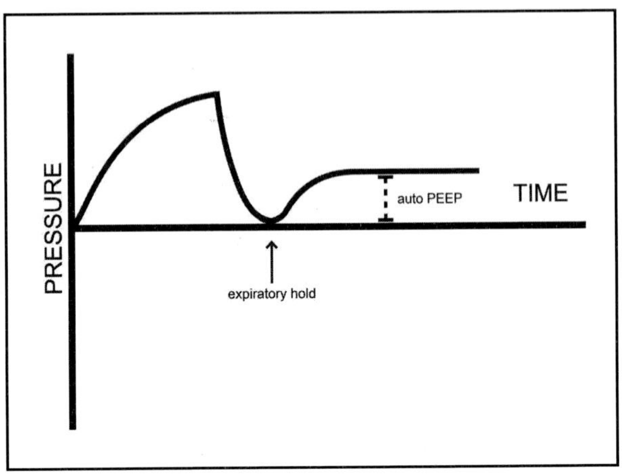

호기말압은 흡기류가 정지되었을 때 폐 전체에서 압력의 균형을 의미한다. 호기말압은 폐포압을 평가하는 가장 좋은 방법이다. 만약 인공호흡기에 설정된 PEEP보다 호기말압이 더 높다면 자가호기말양압(auto-PEEP)이 있는 것이다. 정상적으로, 호기말압과 설정된 PEEP 사이에는 차이가 없어야 한다.

동적과팽창(dynamic hyperinflation, auto PEEP)이 발생하면 호기(exhalation) 중 호기가스가 완전히 빠져나갈 수 있도록 인공호흡기를 조정해야 한다. 동적과팽창의 해결방법으로는 인공호흡기의 호흡수를 낮추거나, 흡기시간을 단축하는 것이 있다. 또한 기관지확장제와 스테로이드는 기도저항을 낮출 수 있다; 초조(agitation)와 빈호흡(tachypnea)을 최소화하기 위해 진정제를 적절히 투여하는 것도 도움이 된다.

COPD환자에서 자가호기말양압(auto-PEEP)이 있는 경우, 어느 정도의 PEEP을 적용하여 전도기도(conducting airways)의 개방을 위한 부목(splint)으로 사용해 볼 수 있다. 이는 COPD에서 소기도 주변의 폐포와 세기관지의 손상에 의한 반동력(recoil)의 손실로 인하여 호기류가 증가할 때 소기도의 허탈이 발생하기 때문이다. 속도가 빨라질수록 압력이 떨어지는 베르누이 원리를 기억할지 모르겠다. 이 원리가 비행기가 날 수 있는 원리이고, 토네이도 때 지붕을 날려버리는 원리이다(즉, 집 안의 기압이 바깥의 기압보다 크다). 자가호기말양압(auto-PEEP)이 발생한 COPD환자에서 기류가 빨라짐에 따라 베르누이 원리에 의해 기도의 허탈이 발생하게 되는데 정상폐에서는 호기 중 기도가 열려 있도록 세기관지를 주변 폐조직이 잡아당겨 주는데 반하여 COPD환자에서는 이와 같은 역활을 하는 주변 폐조직이 손상 또는 파괴되어 호기 중 기도폐쇄가 발생하게 된다. PEEP 또는 CPAP을 적용하여 기도개방을 위한 기능적인 부목(splint)역할을 하게 하면 이같은 동적붕괴(dynamic collapse)와 동적과팽창(dynamic hyperinflation)을 예방할 수 있다.

측정된 자가호기말양압(auto-PEEP)의 약 75-85%에 해당하는 외부압력(PEEP)을 가하면 기도가 계속 열려있게 되며 호기류(expiratory flow)도 계속 배출할 수 있다.[12] 이것이 소위 "폭포 효과(waterfall effect)"이다. 강물이 협곡을 따라 폭포를 향해 흘러내려갈 때, 강물이 폭포로 넘어가는 지점은 심하게 요동치고 매우 혼란스러운 임계점이다. 만약 강물이 하류로 계속 내려가려고 하는데 강물이 요동쳐서 잘 내려가지 못하면 어떻게든 폭포 하류쪽 강물의 수위를 임계점 수위까지 올리면 된다. 그러면 폭포의 임계점에서 발생할 수 있는 격류가 발생하지 않아 강물은 협곡을 따라 계속 흐를 수 있다. 비유하자면, 임계점은 호기 중 소기도허탈이 일어나는 지점의 압력인데 이때 허탈된 소기도 말초(원위부) 쪽으로 공기걸림(trapping gas)이 발생한다. 인공호흡기의 PEEP을 폐포압(alveolar pressure)의 약 75-85%정도 올리면 임계점이 안정된다. 이는 마치 호기(exhalation)는 가능하지만 기도가 허탈 상태가 되지는 않을 정도로 강물의 수위를 높이는 것이다. 그러나 PEEP설정이 폐포압(alveolar pressure)보다 높게 되면 강물의 수위를 폭포높이보다 더 높인 것과 같은 효과가 나타날 것이다. 즉 호기가스는 폐포쪽으로 역류되며 과팽창(hyperinflation)은 오히려 악화될 것이다.

13

고빈도 진동 환기

High Frequency Oscillatory Ventilation

수 많은 ARDS의 임상연구에서 저일회호흡량환기(low tidal volume ventilation)의 이점은 논란의 여지 없이 확인되었다.[4,9] 인공호흡기 유발 폐손상(ventilator-induced lung injury, VILI)의 일차적 결정요인이 용적손상(volutrauma)으로 생각되므로 적절한 가스교환을 유지하면서 가능한 일회호흡량을 작게 유지하는 것은 타당하다.[6] 그런데 고빈도진동환기(High frequency oscillatory ventilation, HFOV)는 환자의 해부학적 사강보다 적은 일회호흡량을 초고속의 빈도로 공급하여 기계환기를 수행하는 것을 목표로 한다.

강아지가 헐떡이는 것을 관찰해 보자. 아주 작은 일회호흡량으로 빠르게 호흡하는 것 같은데 웬일인지 모르지만 강아지는 잘 살아 있다. 이것의 이면에 HFOV의 기본적인 원리가 숨겨져 있다. 이 때 횡격막은 초당 3-15회 진동한다. 이와 같은 횡격막의 진동이 기관내관에서 폐포까지에 걸쳐 있는 공기기둥(column of air)을 "밀고-당기는" 움직임을 발생시킨다.

HFOV에서의 가스교환 메커니즘[13] (Mechanisms of Gas Exchange in HFOV[13])

Direct convective gas flow: 큰 기도에 가까운 위치에 폐포상(alveolar bed)이 있어, 이들에게 산소가 풍부한 가스가 직접 운반되고, 또 이산화탄소가 풍부한 가스는 호기가스로 배출된다. 이 방법은 HFOV을 통한 가스교환에서 차지하는 비율은 적지만, 통상적인 기계환기에서는 이 방법이 가스교환의 일차적인 원리이다.

Taylor Disposition: 이것의 이면에 있는 이론은 흡입가스는 진동압력(oscillatory pressure)에 의해 기도의 중앙으로 밀려 내려가는 반면, 폐포에서 나온 가스는 기도의 바깥쪽 가장자리를 따라 남아 있다가 점차 밖으로 밀려 나온다는 것이다. 개념적으로, 피스톤이 액체가 들어있는 약간 더 큰 실린더 아래로 천천히 밀려 내려오는 것을 생각해 보라. 피스톤이 실린더 바닥에 가까워질수록 액체는 가장자리를 빙 둘러 밖으로 밀려난다.

Molecular Diffusion: 호흡세기관지와 종말세기관지 수준에서는 진동(oscillation)에 의해 발생하는 난류가스기류(turbulent gas flow)에 의해 산소와 이산화탄소가 뒤흔들린다. 이같은 결과로 폐포에 산소의 확산이 일어나고 산소는 모세혈관에 흡수된다.

Pendelluft: 이것은 하나의 폐포상(alveolar bed)에서 다른 폐포상으로의 가스가 오가는 운동을 말한다. 환기가 잘되는 폐포들에서 나온 가스가 환기가 잘 되지 않는 폐포로 이동하여 가스교환을 개선한다. 이같은 가스교환은 호흡세기관지와, 폐포들 사이의 부수적인 통로(collateral channels)를 통해 일어난다.

ARDS와 같은 심각한 저산소호흡부전(severe hypoxemic respiratory failure)에 대한 환기방법 중 구제모드(rescue mode)로

서 HFOV는 유용할 수 있다. 또한 HFOV는 기관지흉막루(bronchopleural fistula) 환자에서 누공이 크고 흉관을 통해 일회호흡량의 상당 부분이 빠져나가고 있을 때 유용한 모드다. HFOV의 매력은 평균기도압을 증가시킬 수 있고, 따라서 폐가 높은 팽창압과 과다한 용적(나쁘다고 알고 있는 용적손상을 피할 수 있다)에 노출되지 않으면서도 산소화(oxygenation)를 좋게 할 수 있다. HFOV에는 고유의 용어(terminology)가 있고 통상적인 환기(conventional ventilation)와는 매우 다르다.

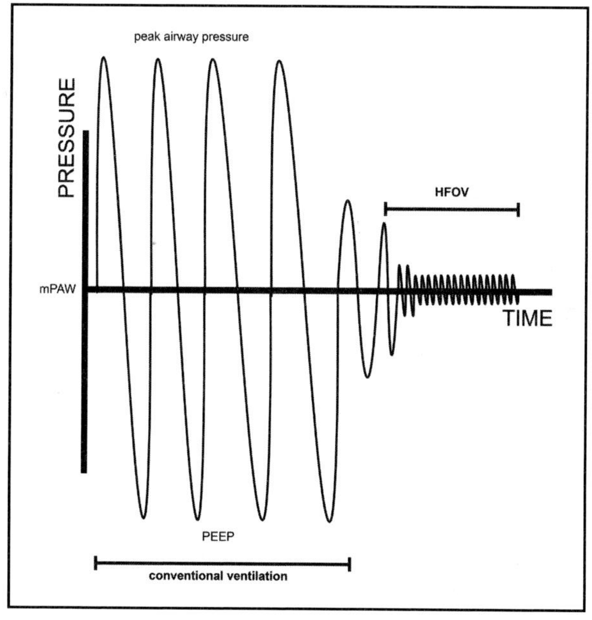

HFOV는 통상적인 기계환기(conventional ventilation)에서 보이는 기도압의 큰 흔들림 없이 거의 일정한 평균기도압(mean airway pressure, mPAW)을 유지한다. 진동(oscillations)은 분당 호흡수가 아닌 초당 주파수(Hz)로 표시된다.

HFOV에서의 산소화(oxygenation)는 FiO_2와 평균기도압(mean airway pressure, mPAW)의 영향을 받는다. 폐포동원술(recruitment maneuvers)은 또한 mPAW를 높이고 진동(oscillations)을 멈추는 방법으로도 가능할 수 있다. 이는 허탈상태의 폐포를 개방하기 위해 높은 수준의 CPAP을 적용하는 것과 기본적으로 같다.

환기는 진동수(f)와 진폭에 의해 조절된다. f는 헤르츠 또는 초당 진동수로 측정된다. 따라서 3 Hz의 f는 횡격막이 초당 3회 또는 분당 180회 진동하는 것을 의미한다. 여기에 중요한 점이 있는데- 주파수가 높을수록 대류가스흐름(convective gas flow: 더 많은 가스의 분산)이 줄어든다는 것이다. 이는 일회호흡량이 빠른 진동과 함께 줄어든다는 것을 의미한다. 주파수(예: 5 Hz에서 10 Hz로)를 높이면 일회호흡량이 낮아지고 $PaCO_2$가 상승하게 된다. 역으로 주파수를 낮추면 일회호흡량이 증가하여 $PaCO_2$가 낮아진다. 진동호흡기(oscillating ventilator)의 주파수 범위는 3 Hz - 15 Hz이다.

진폭은 진동하는 횡격막을 횡단하는 압력의 변화를 말하며 범위는 80 - 90 cm H_2O이다. 이 압력이 상당히 높을 수 있지만, 압력차이가 인공호흡기 회로와 큰 기도를 따라 내려가면서 소멸된다는 것을 기억해야 한다. 폐포수준에서는 이와 같은 진폭에 의한 압력변화는 거의 없다. 진폭을 증가시키면 진동의 힘(force of oscillation)이 높아지고 가스혼합도 개선된다. 따라서 진폭을 증가시키면 $PaCO_2$는 낮아지는 반면 진폭을 감소시키면 $PaCO_2$는 증가할 수 있다. 일반적으로 진폭은 환자의 허벅지가 출렁거릴 정도(thighs giggle, 과학적으로 표현을 해야 하는 정도는 알고 있다)로 설정하며, 진동수(f)를 조정하여 환기를 조절한다.

만일 $PaCO_2$가 허용할 수 없을 정도로 높게 지속되면 인공호흡기에 두 가지 변화를 더 줄 수 있다. Taylor dispersion은 조금 더 큰 실린더에 있는 피스톤이 액체를 밀어내는 것과 같다는 것을 기억하라. 산소가 풍부한 가스는 가스기둥의 중앙에 있고, 폐포 쪽으로 천천히 밀어내는 반면, CO_2가 많은 가스는 가스기둥의 주변부에 있고 점차적으로 밖으로 배출된다. 기류가 순간적으로 멈추면 기체분자는 기둥 안에서 고르게 확산된다. HFOV에서 기체 "피스톤"은 흡기시간(또는 T_I)동안 기둥 아래로 이동한다. T_I는 보통 진동주기의 33%를 차지하도록 설정된다. T_I를 50%로 증가시키면 피스톤을 더 밀어낼 수 있고 기둥외부에 있는 CO_2가 공급된 산소와 혼합되지 않도록 할 수 있다. 이로 인해 이산화탄소 배출이 호전될 것이다.

마찬가지로, 우리는 이산화탄소를 더 많이 배출하기 위해 기둥을 조금 더 넓게 만들 수 있다. 보통 호기가스(exhaled gas)는 기관내관을 통해 빠져나간다. CO_2가 많은 가스를 더 많이 제거하기 위해 의도적으로 기관내관의 커프 주변을 통해 누출이 발생하도록 조정할 수 있다. 이를 5 cm H_2O 커프누출이라고 한다. 이를 위해 mPAW가 5 cm H_2O 떨어질 때까지 커프를 수축시킨다. 그런 다음 mPAW가 원래 수준으로 돌아올 때까지 편향기류(bias flow, inspired gas flow)를 증가시킨다.

초기 HFOV 설정[14](Initial HFOV Settings[14])

- FiO_2는 100%로 설정
- mPAW를 45 cm H_2O로 설정하고 이 수준에서 45초간 유지(폐포동원술)
- 폐포동원술을 시행한 후, mPAW를 35 cm H_2O로 설정
- 진폭 80, 허벅지의 출렁거림(thighs giggle)을 볼 수 있도록 조정
- 주파수는 5 Hz
- TI 33%

HFOV에 대한 설정은 위에서 설명한 대로 할 수 있다. HFOV를 통한 치료가 필요할 정도의 중증호흡부전환자에서, 완벽해보이는 정상소견의 ABGA 결과를 추구하는 것은 필요하지도 않고 심지어 바람직하지도 않다는 것을 기억할 필요가 있다. PaO_2 55-70 mmHg을 유지하는데 필요한 가장 낮은 FiO_2, 또 pH가 7.20-7.35 범위 안에서 고탄산혈증(hypercapnia)은 감수할 수 있다.

산소화(oxygenation)가 개선되기 시작하면 FiO_2와 mPAW를 줄일 수 있다. mPAW 24 cm H_2O, FiO_2 50%에서 적절한 가스교환을 유지할 수 있으면, 통상적인 기계환기(conventional ventilation)로 다시 전환하는 것을 고려해야 한다.

HFOV의 한계(Limitations of HFOV)

그렇다면, HFOV의 단점은 무엇인가? 알다시피 몇 가지가 있다. 첫째, 적어도 이 글의 작성하고 있는 현시점에서 성인용 HFOV를 제공할 수 있는 구입 가능한 인공호흡기는 미국에서

는 단 한 가지뿐 - Sensormedics 3100B (Viasys® Healthcare, Yorba Linda, CA)이다. 이 인공호흡기는 다른 기계환기모드를 지원하지 못하므로 통상적인 기계환기(conventional ventilation)에서 HFOV로 전환하거나, 그 반대의 경우에 인공호흡기 자체를 교체해야 한다. 둘째, 인공호흡기에는 환자의 이상을 알려주는 경보가 없다. 고압경보(high-pressure alarm)나 저일회호흡량경보(low tidal volume alarm), 무호흡경보(apnea alarm) 등은 없다. 이것은 임상검사 등 환자감시를 매우 철저해야 한다는 것을 의미하며, 결국 많은 ABGA와 흉부X선 검사가 필요하게 될 것이다. 셋째, 대류가스기류(convective gas flow) 없이 기도분비물을 제거하기 어렵다. 점액전(mucus plugging, 粘液栓)은 진동환기법에서 흔한 문제다. 넷째, HFOV는 환자에게 꼭 편안한 모드는 아니다. 환자는 자발호흡을 할 수 없고, 또 그렇게 빠른 출렁거림(jiggling)을 좋아하지 않을 수도 있다. 따라서 고용량의 진정제와 때로는 신경근차단제까지 필요하다.

다섯째, 그리고 가장 중요한 것은 현재의 의학적 근거가 HFOV의 일상적인 사용을 지지하지 않는다는 것이다. 중등도에서 중증 ARDS의 치료에서 HFOV를 초기에 적용해보는 다기관 임상시험인 OSCILLATE 연구 결과가 2013년에 발표되었다.[15] 연구자들은 HFOV가 유익한 증거는 없고 오히려 원내 사망률이 증가하는 결과를 발표했다. 그리고 ARDS에서 HFOV의 효능을 관찰했던 또 다른 다기관임상시험인 OSCAR 연구에서도 이와 비슷한 결과를 보였기 때문에 OSCILLATE 연구 결과는 확증되었다.[16] 이러한 이유로 HFOV는 누공이 큰 기관지흉막루(bronchopleural fistula) 환자와 같이 특별한 이유가 있는 환자에서 그리고 다른 구제모드(rescue mode)로 실패했거나 다른 방법이 없는 불응성저산소증(refractory hypoxemia, $PaO_2/FiO_2<55$)에서 제한적으로 적용을 고려해야 한다.

14

기도압방출환기

Airway Pressure Release Ventilation

폐보호환기(lung-protective ventilation)에 대한 현재의 이해는 일회호흡량을 적게 할수록 좋다는 것인데 이는 저일회호흡량(low tidal volume)이 폐포의 과다팽창을 방지하기 때문에 더 좋다는 것이다. 그리고 호기말양압(PEEP)은 높게 설정할수록 좋은데 그 이유는 호흡주기가 끝날 때 손상 받은 폐포의 허탈(collapse)을 막아줄 수 있기 때문이다.[3,5] 반복적인 폐포의 허탈과 재개방을 예방하면 이로 인한 전단응력(shear stress)이 줄어들고 인공호흡기유발폐손상에서 보이는 "허탈손상(atelectrauma)"이 감소하게 된다.[6]

고빈도진동환기(high frequency oscillatory ventilation)는 해부학적사강보다 훨씬 작은 일회호흡량을 사용함으로써 저일회호흡량 환기(low tidal volume ventilation)의 극단적인 형태를 보여준다. 반면에 기도압방출환기(airway pressure release ventilation,

APRV)는 더 높은 PEEP을 적용한다는 개념을 실행하는 것으로 볼 수 있다.

ARDS, 폐좌상(pulmonary contusion), 양측성폐렴 등에서 볼 수 있는 것과 같이 중증 폐질환이나 폐손상에서는 단락분율(shunt fraction)이 높은 것이 특징이다. 염증삼출액으로 차있거나 허탈상태의 폐포는 관류가 유지되지만 가스는 폐포모세혈관막에 도달할 수 없어 단락분율이 높다. 양압환기는 손상 받은 폐포를 동원(recruit), 재개방(reopen) 그리고 안정화함으로써 폐단락률(shunt fraction)을 감소시킬 수 있다.

ARDS환자에서 FiO_2 100%, CPAP 35 cm H_2O를 설정하면 환자의 산소화(oxygenation) 상태는 호전될 것이다. 지속적 양압은 폐포를 개방하며, 산소는 폐모세혈관으로 확산될 것이다. 물론 환기에는 문제가 발생한다. 환자가 자신의 분당환기량을 유지하기는 어려울 것 같고, 적절한 일회호흡량이 유지되지 못으면 $PaCO_2$는 급격히 상승할 것이다. CPAP(또는 PEEP) 35인 상태에서 흡기가스를 조금 더 많이 공급하면 일회호흡량은 낮게 유지되더라도 팽창압력(distending pressure)이 매우 높을 것이다.

반대로 내가 더 많은 흡기가스를 공급하려고 하지 않는다면? 일회호흡량을 공급하는 대신 인공호흡기의 압력을 갑자기 0으로 내려 기도의 감압을 할 수 있다. 그렇게 되면 공기는 이산화탄소를 운반하며 기도 밖으로 몰려나오게 된다. 이로 인해 적절한 환기가 이루어질 것이다. 물론 기도압을 0으로 낮춘 다음 너무 오랫동안 이 상태를 유지하면 손상 받은 폐포는 재허탈(derecruitment)상태가 될 것이다. 이렇게 되면 단락분율이 증가하게 되고 이후 또 다시 폐포를 재개방하려면 폐에 더 큰 손상을 줄 수 있다. 이에 대한 해법은 호기가스가 빠져나갈 수 있을 만큼 충분히 길게 기도의 압력을 감압(depressurize)시키되, 폐포가 허탈 상태에 빠지지 않을 만큼 충분히 짧게 하는 것이다. APRV로 환기를 하는 동안에 이런 과정이 진행된다.

APRV를 위한 용어가 혼란스럽게 들릴 수 있지만, 실제로는 매우 간단한 시스템이다. CPAP상태를 유지하면서 CPAP을 간헐적으로 방출하는 것으로 생각하면 된다. CPAP은 폐포를 개방하고 산소화를 유지하기 위해 존재한다. 주기적인 방출(release)을 통해 폐에서 이산화탄소를 배출한다. 추가적인 이점으로 환자는 APRV 중 자발호흡을 할 수 있다. 이를 통해 VQ균형과 환자의 편안함을 좋게 하여(자발적인 횡격막의 수축을 통해) 진정제의 필요성을 줄여준다.

APRV 용어 및 의미(APRV Terms and What They Mean)

우선 APRV™는 등록상표로서 이같은 환기모드를 Dräger사의 인공호흡기에서 APRV라고 부르는 것이다. Servo사의 인공호흡기에서는 Bi-Vent™, Puritan Bennett사의 인공호흡기에서는 BiLevel™이라고 불린다. 아래에 언급된 용어 중 일부는 사용 중인 인공호흡기의 회사에 따라 그 명칭도 다를 수 있다. 다양한 이름에도 불구하고, 본질적으로는 같은 것이다.

P_{HIGH}: 말하자면 CPAP. 대부분의 호흡주기 동안 기도에 가해지는 압력이며, 개방된 폐포를 그대로 유지하는데 필요한 압력이다. P_{HIGH}가 높을수록 평균기도압이 높아지고 산소화는 효율적이라는 것을 의미한다. 환자의 가스교환과 유순도가 호전되면 P_{HIGH}가 적게 필요할 것이다.

THIGH: PHIGH상태로 경과한 시간. 방출(release)사이의 시간이다. THIGH가 길면 평균기도압이 증가하지만(산소화는 개선) 분당환기량이 적다는 의미도 된다($PaCO_2$ 상승 가능).

PLOW: 방출(release)도중 떨어진 인공호흡기의 압력. 일반적으로 이 값은 0으로 설정된다. 기도가 자연적인 기류저항기(natural flow resistor)처럼 작용하기 때문에 호기말압이 0에 도달하는 경우는 거의 없지만, PLOW을 0으로 설정하면 가장 높은 압력차가 발생하게 되고, 따라서 가스방출이 더 잘 된다. 평균기도압을 높여야 할 경우에는 PLOW를 높게 설정할 수 있지만, 이 경우에는 환기에 제한을 준다는 점을 알아야 한다.

TLOW: PLOW상태로 경과한 시간. 이 시간은 보통 0.4초에서 0.8초 사이로 짧다. 이 정도면 가스가 빠져나갈 수 있는 시간으로는 충분하며, 대부분의 폐포가 허탈에 빠지지 않을 정도로 충분히 짧다. 더 많은 CO_2를 배출시키기 위해서는 필요에 따라 TLOW를 연장할 수 있지만, 이 경우 더 많은 재허탈(derecruitment)를 초래할 수 있다. 호기유량의 파형(expiratory flow waveform)에 따라 TLOW를 조정하는 가장 좋은 방법이다.

평균기도압과 FiO_2는 APRV에서 산소화(oxygenation)정도를 조절한다. APRV에서는 일회호흡량의 팽창이 없기 때문에 지나치게 높은 최고기도압의 상승 없이 평균기도압으로 환기를 시킬 수 있다. PHIGH를 올리거나 THIGH를 연장하면 평균기도압이 증가한다. PLOW를 올리는 것도 다른 방법이지만 그만큼 도움이 되지 않는다.

초기 APRV 설정(Initial APRV Settings)

- FiO_2 100%
- PHIGH 30–35 cm H_2O
- PLOW 0 cm H_2O
- THIGH 4초
- TLOW 0.8초, 최대호기류는 50%까지 감소하도록 조정

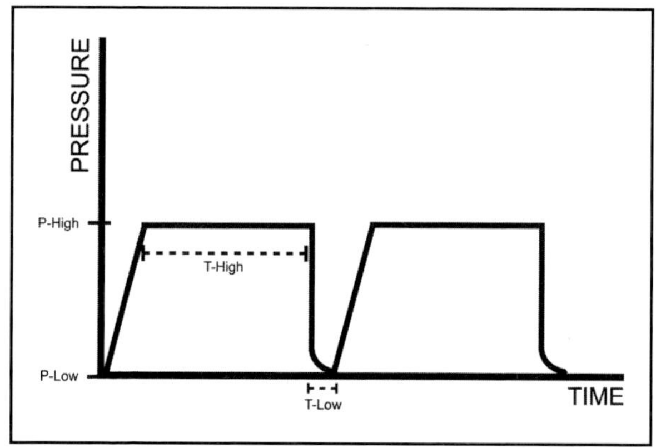

APRV는 폐포동원과 환기를 개선하기 위해 긴 시간의 고압과 짧은 시간의 저압을 사용한다. 간헐적인 압력방출(intermittent releases)이 있는 CPAP이라고 생각하자.

환기는 방출빈도(frequency of the releases), TLOW에서 경과된 시간 및 PHIGH와 PLOW사이의 압력차에 의해 결정된다.

분당 방출빈도는 THIGH의 주된 결정요소이다. 즉 THIGH가 길수록 방출빈도가 낮아지고 반대로 THIGH가 짧으면 방출빈도가 높아진다. 분당 방출빈도가 높을수록 $PaCO_2$는 낮아진다. THIGH를 짧게 하면 CO_2가 더 많이 배출되지만, 평균기도압이 낮아져서 산소화에 영향을 줄 수도 있다.

환자 폐의 유순도에 따라 방출되는 호기가스의 양이 결정된다. 예를 들어, 유순도가 20 mL/cm인 경우, PHIGH 30 cm H_2O에서 PLOW 0으로 떨어지면 600 mL의 방출량이 발생한다(어떻게 보면 일회호흡량과 비슷함). 폐손상이 회복되거나 폐포동원(alveolar recruitment)을 통해 허탈상태의 폐포가 줄어들면 압력하강(pressure drop) 정도는 동일해도 방출량은 더 많아질 것이다. 이것이 환자가 회복되고 있는지 판단할 수 있는 한 가지 방법이다.

TLOW에서 경과되는 시간도 역시 중요하다. 이 시간이 길수록 더 많은 가스가 빠져나갈 수 있다($PaCO_2$는 낮아진다). 그러나, 이것은 더 많은 폐포재허탈(alveolar derecruitment)로 이어진다. $PaCO_2$를 조정하는 가장 좋은 방법은 인공호흡기에서 호기류의 파형(expiratory flow waveform)을 관찰하는 것이다. 호기유량(expiratory flow rate)이 약 50% 근처까지 떨어져야 하며, 그 이후 인공호흡기가 PHIGH로 재가압(repressurize)해야 한다. 이 지점이 폐포동원(alveolar recruitment)을 유지하면서 환기가 이뤄질 수 있는 가장 효율적인 지점인 것 같다. COPD 환자들에서는 호기유량이 75%까지 감소하도록 약간 더 긴 TLOW를 설정할 필요가 있다. 반면에 폐가 매우 굳어진 환자들에서 폐포동원을 유지하기 위해 더 짧은 TLOW가 필요한 경우도 있다(즉 호기유량이 25% 정도 감소할 때까지). 대부분의 환자에서는 호기유량의 하락을 50% 정도까지 유지하는 것은 적절한 초기설정이다. 호기유량을 기준선(0%가 될때까지)으로 떨어지지 않도록 한다. 이를 위해서는 너무 많은 시간이 걸리고 또 많은 폐포가 허탈상태로 빠지도록 허용하는 것이기 때문이다.

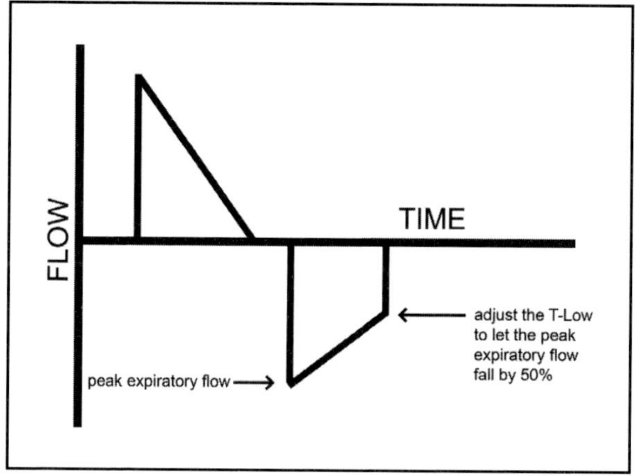

만약 산소화가 가장 큰 문제라면 T_{LOW}를 단축하여 호기유량이 25%까지 감소되게 할 수 있다. 이렇게 하면 CO_2가 더 적게 배출되는 결과를 가져오겠지만 한편으로 약간의 폐포를 추가적으로 개방하여 산소화를 개선시킬 것이다.

환기가 더 중요한 문제일 경우 T_{LOW}를 연장하여 호기유량이 75%까지 감소되게 할 수 있다. 이렇게 하면 더 많은 CO_2가 배출될 수 있지만, 더 많은 폐포재허탈(alveolar derecruitment)이 발생할 수 있으며, 이는 산소화를 악화시킬 수 있다.

APRV의 이탈(Weaning APRV)

APRV의 이탈은 쉽다. APRV는 단지 멋지게 보이는 CPAP에 불과하다는 것을 명심하라. 환자는 P_{HIGH}에서 자발호흡을 할 수 있으며, 일회호흡량이 작더라도 환기와 VQ균형에 기여한다. 환자의 유순도와 가스교환상태가 호전되면 PHIGH는 더 적게 필요하게 되고 1분당 방출양은 줄어들 것이다. 이것을 소위 "떨어뜨리고 늘리는(drop and spread)" 방식이라고 말하는데, PHIGH를 1-2 cm 단위로 떨어뜨리고(drop), THIGH는 점차 늘린다(spread).

THIGH가 8-10초, PHIGH가 15 cm H_2O 미만에서도 안정적이면 압력보조환기(pressure support ventilation)로 전환할 수 있다. 이런 경우 소량의 PS (5-10 cm H_2O)를 설징하면 간헐적인 기도압방출환기를 중지할 수 있다. 전형적인 환기모드 변경은 다음과 같이하면 된다. 만약 환자의 APRV설정이 PHIGH 15 cm H_2O, THIGH 10초인 경우에는 PHIGH 설정보다 조금 적은 CPAP 12 cm H_2O와 PS 8 cm H_2O(자발적 호흡을 부양시키기 위해)의 압력보조환기(pressure support ventilation)로 변경하면 된다. 압력보조환기(PSV)를 잘 견디면 산소화가 개선됨에 따라 CPAP은 낮추고 PS를 환자가 편안히 자발호흡을 유지할 수 있도록 조정한다.

비공식적으로, 나는 PHIGH 20 cm H_2O 이상인 상태에서는 PS 적용을 권장하지 않는다(비록 어떤 인공호흡기에서 이 같은 것이 옵션의 한 가지 일지라도). 왜냐하면 이와 같은 경우 자발호흡 중에 경폐압(transpulmonary pressure)이 증가되고 폐손상을 초래할 수 있기 때문이다.[17]

15

기계환기로부터의 해방

Liberation from Mechanical Ventilation

'인공호흡기에서 환자를 떼어 냄'을 의미하는 '이탈(weaning)'을 해방(liberation)이란 단어로 대체하였다. 그 이유는 기계환기로 치료받는 대부분의 환자에서 시간이 오래 걸리는 '이탈(weaning)'이 필요하지 않기 때문이다. 다시 말하면 인공호흡기의 이탈(weaning)은 영아에서 이유식을 떼는 것(weaning)과 같이 오래 걸리는 것이 아니다. SIMV에서 호흡수를 줄이거나 PSV에서 압력보조(pressure support)를 줄임으로써 인공호흡기 보조를 점차적으로 줄이는 것을 이탈(weaning)이라고 한다. 반면에 해방(liberation)은 발관(extubation)가능성에 대해 매일 환자를 평가한 뒤 적절한 기준이 충족되면 발관을 시행한다는 의미를 갖고 있다.

기계환기환자에서 발관(extubation)을 안전하게 시행하기 위해서는 몇 가지 조건이 충족되어야 한다. 첫째, 기관삽관(intubation)의 사유가 해소되거나 교정되어 있을 필요가 있다. 만약 환자가 의식 변화로 삽관을 시행했다면, 발관을 위해서는 의식이 명료해야 하고, 또 지시를 따를 수 있어야 한다. 만약 폐부종이나 쇼크 때문에 삽관을 시행했다면, 환자의 X선 소견이 깨끗해야 하고, 승압제를 중지한 상태여야 한다. 등등.

둘째, 환자가 양압환기의 도움 없이 적절한 가스교환을 유지할 수 있어야 한다. 가장 일반적으로 사용되는 기준은 $FiO_2 \le 50\%$, PEEP ≤ 8 cm H_2O이다. 동적과팽창(dynamic hyperinflation, auto PEEP)이 있어서는 안 되며, 환자가 매우 높은 분당호흡량(예: 분당 10리터 미만) 소견없이 정상이산화탄소혈증(normocapnea)상태를 유지할 수 있어야 한다.

셋째, 기계환기보조가 중지되어도 견딜 수 있는 적절한 심혈관계의 예비력(reserve)을 갖고 있어야 한다. 심근허혈과 좌심실기능저하가 존재하면 기계환기의 도움 없이 호흡할 수 있는 환자의 능력을 손상시킨다. 양압환기에 의해 전부하(preload)와 후부하(afterload)가 감소해서 심장성폐부종이 호전되는데 발관은 이를 악화시킬 수 있다[18]. CPAP 또는 PSV보다는 T-피스를 이용한 자발호흡시험(spontaneous breathing trial)이 좌심실기능저하 환자에서 발관준비가 되었는지를 판단하는데 더욱 도움이 될 수 있다.

발관준비(readiness for extubation)가 되었는지를 판단할 때 의식수준(mental status)을 고려해야 하는 경우가 많다. 의식이 혼미(stuporous)하거나 혼수(comatose)상태인 환자들은 적절한 기도의 긴장도를 유지하는데 어려움을 겪으며 또 반사신경(예; 구역 또는 기침반사)에 의한 방어기전이 약화될 수 있어 흡인 및 폐렴의 잠재적 위험에 노출된다. 또 뇌질환이나 뇌손상 환자에서 중추호흡욕동(central respiratory drive)에 장애가 있을 수도 있다.

그럼에도 불구하고 어떤 연구에 의하면 정신상태(mental status) 외에는 삽관을 계속 유지해야할 다른 이유가 없었던(즉, 산소요구량도 높지 않았고, 흡인이 자주 필요하지 않았으며, 무호흡기간이 없었던) 뇌손상 환자에서 실제로 조기발관이 더 좋은 결과를 보였다.[19]

이탈지표들(Weaning Parameters)

몇 가지 임상지수(clinical indices)들을 이용하여 일반적으로 발관준비 상태를 평가한다. 이것들은 전문화된 장비 없이도 침대 옆에서 확인할 수 있다.

최대흡기압: MIP (maximal inspiratory pressure) 또는 음성흡기력(negative inspiratory force, NIF)이라고도 한다. 건강한 젊은 남성은 −120 cm H_2O의 MIP를 생성할 수 있고, 여성은 −90 cm H_2O의 MIP를 생성할 수 있다. 삽관상태 환자인 경우 일반적으로 MIP가 −30 cm H_2O 아래로 낮은 경우 적절한 것으로 간주된다.

노력성폐활량: FVC (forced vital capacity): 정상인의 FVC는 70−80 mL/kg이다. 삽관 상태의 환자에서 FVC가 10−15 mL/kg 정도이면 인공호흡기의 보조 없이 자발호흡을 유지하기에 충분한 것으로 간주된다.

분당환기량: MV (minute ventilation): 정상적인 $PaCO_2$를 유지하기 위해 분당 10리터 이상의 분당환기량은 일반적으로 인공호흡기 보조 없이 환자가 감당하기에는 너무 많은 호흡일(work of breath)이다.

그러나 이탈지표들에는 몇 가지 단점이 있다. MIP와 FVC는 환자의 적절한 협조와 노력에 의존하며, 한 시점에서의 정적측정(static measurements)이다. 분당환기량은 일정시간 동안의 동적측정(dynamic measurement)이지만 환자의 불편함이나 초조함(agitation)에 의해 영향을 받을 수 있다. 이러한 이탈지표들은 임상적인 의사결정(clinical decision-making)에 유용한 참고자료가 될 수 있지만 그 자체로 확실한 양성예측도(positive predictive value, PPV) 또는 음성예측도(negative predictive value, NPV)를 보여주는 이탈지표는 없다. 대부분의 경우, 이와같은 이탈지표들은 자발호흡시험(spontaneous breathing trial, SBT)이라는 개념으로 대체되었다.

자발호흡시험(Spontaneous Breathing Trial, SBT)

자발호흡시험(SBT)은 인공호흡기의 보조를 적게 하거나 아니면 보조가 없는 상태에서 보통 30-120분 정도의 시간 동안 환자의 호흡노력을 관찰함으로써 수행된다. SBT의 효용성을 보여주는 첫 번째 대규모 임상시험 중 하나는 환자에게 T-피스(기관내관 끝에 부착된 산소공급관으로 T자 모양처럼 보인다)를 적용해 보는 것이었다. T피스시험(T-piece trial)은 어떠한 인공호흡기의 보조 없이 환자의 호흡상태를 시험해 볼 수 있는 장점이 있다. 그러나, 이 방법은 손이 많이 가는(labor-intensive) 방법일 수 있고, 특별한 장치를 튜브에 부착하지 않으면 일회호흡량을 측정하기 어렵다.

다른 시험방법에는 CPAP 단독[20] 또는 적은 압력보조(pressure support 5-8 cm H_2O)[21,22]가 추가된 CPAP 중 하나로 T-피스시험만큼 효과가 있는 것으로 나타났다. CPAP 또는 PSV를 사용하면 일회호흡량과 호흡수를 확인할 수 있고 환자와 인공호흡기를 분리할 필요가 없다는 장점이 있다.

SBT의 결과에 따라 환자의 발관준비 상태를 평가한다. 이 중 대부분은 간단한 임상 소견으로 판단한다. 빈호흡, 빈맥, 그리고 발한 등이 있는 사람은 발관준비가 되지 않은 상태이다. 천천히 그리고 깊게 숨을 쉬고 있고 편안해 보이는 사람은 아마도 발관이 가능할 것이다. 쉽게 평가하는 방법으로, Rapid Shallow Breathing Index (RSBI)라 불리우는 지표가 있다. 이는 환자의 호흡수와 일회호흡량(리터단위로 계산)의 비율이다. 깊게 숨쉬는 것 보다는 빨리 숨쉬는 것이 쉬우므로 호흡근력이 약한 환자는 빠르고 얕은 호흡을 하게 된다. 따라서 천천히, 심호흡하는 것이 더 좋은 상태인 것이다. 예를 들어 호흡수가 10/분이고 일회호흡량이 500 mL인 환자의 RSBI는 20 (=10/0.5)이다. 호흡수가 50/분이고 일회호흡량이 100 mL인 또 다른 환자는 RSBI가 500 (=50/0.1)이다. 두 사람 모두 분당환기량은 동일하지만(10 L/분) 후자의 환자는 명백하게 발관준비가 되지 못한 상태이다.

RSBI가 105 미만인 경우 성공적인 발관을 예측할 수 있다[23]. 그러나 나는 개인적으로 인공호흡기의 PSV모드로 SBT를 시행하고 있는데, 우리병원의 보조인력에 한계가 있어 약간 더 엄격한 역치(threshold)인 RSBI 80을 발관의 기준으로 사용한다. 당신도 당연히 어느 정도의 상식과 임상적 판단을 사용해 결정해야 한다. 만일 RSBI 75인 환자가 역설호흡패턴(paradoxical breathing pattern)을 보이면서 숨이 가빠 보이면 아마도 인공호흡기 이탈이 쉽지 않을 것이다. 반면에 RSBI가 110이라도 조용하게 또 편안하게 호흡하고 실제로 잘 지낸다면 인공호흡기 이탈을 시도해 보는 것이 좋겠다.

기준을 충족하는 모든 환자를 대상으로 SBT를 시행해야 한다. 효과적인 시행을 위해 SBT를 하지 말아야 할 특별한 이유(즉 개방된 흉강, 높은 뇌압, 또는 어려운 기도-difficult airway-처럼)가 없는 한 모든 인공호흡환자에게 자동적으로 SBT 평가를 시행해야 한다. 매일 간호사가 진정제를 중단함과 동시에 호흡치료사는 SBT를 시행하는 것이 이상적이다. 이렇게 하면 환자를 빨리 퇴원시킬 수 있는 확률이 높아진다. 인공호흡기가 치료적 역할을 하는 것이 아니며, 환자가 회복되어 이탈할 준비가 되면 인공호흡기를 뗄 수 있다는 것을 기억하라. 호흡치료사는 SBT의 목적은 이탈준비가 된 상태를 빠르게 발견하여 환자가 필요 이상 더 많은 시간을 인공호흡기에서 지내지 않도록 하기 위함이다.

SBT를 매일 시행하는 것에는 두 가지 장점이 있다. 첫째, SBT를 쉽게 할 수 있다. 날마다 진행하는 평가와 자발호흡시험은 단시간 내로 시행가능하며, 어떤 환자에서 발관이 가능한지 또 불가능한지를 알 수 있는 믿을 만한 판단기준을 제공한다. 둘째로, 이 방법은 환자들을 기계환기로부터 해방시킬 수 있는 가장 효과적인 방법이다. 인공호흡기 사용시간과 ICU 체류기간을 비교했을 때 매일 SBT를 시행하는 방법이 SIMV 및 PSV를 이용한 이탈

방법보다 우수하다는 것이 입증되었다.[18]

호흡부전환자에 대해서는 두 가지 유형의 날자 즉, 인공호흡일(vent days)와 인공호흡기 이탈일(get off the vent days)이 있다. 매일 자발호흡시험을 시행하면 그날이 어떤 날인지 알 수 있다. 환자가 시험을 통과하면 발관(extubate)하자! 그렇지 못하면 보조제어환기모드를 다시 시작하라. 환자의 피로를 해결해 보거나 또 피로를 느끼는 지점 바로 위에서 호흡 보조방법을 찾는 것도 아무런 이득이 없다. 일단 환자를 쉬게 하고 다음 날 다시 SBT를 해보자. 이 방법은 간단하다. SBT를 중환자실에서 날마다 수행하는 진료의 한 부분으로 만드는 것은 쉽다. 그리고 이 방법은 확실히 효과가 있다.

일일 SBT 방법(Daily SBT Protocol)

평가 기준

$FiO_2 \leq 50\%$
PEEP $\leq$ 8 cm H_2O
지시를 따를 수 있음
자주 흡인(suctioning)할 필요가 없음
혈류역학적으로 안정적
어려운 기도(difficult airway)라고 알려진 환자가 아니다.
비전형적인 환기방법(APRV, HFOV)으로 치료하는 중이 아니다.
"No Daily SBT"와 같은 의사의 지시가 없다.

모든 평가 기준이 충족되면 자발호흡시험을 시작한다.

1. CPAP 5 cm H_2O, PS 7 cm H_2O를 설정하고 30-60분간 유지한다
2. SBT가 끝날 때 RSBI를 계산한다.
3. RSBI가 80 이하면 발관(extubation)을 시행한다.
4. RSBI가 80 이상일 경우, 다시 보조조절환기로 돌아간다.
5. 환자의 발관준비 상태에 대한 우려가 있는 경우 의사에게 문의한다.

다음 중 어떤 것이라도 해당되면 SBT를 중단한다.

88% 미만의 산소포화도
심박수가 20회/분 이상 증가
혈압의 현저한 변동
발한
보조호흡근 사용 또는 역설적인 호흡패턴

16

장기간 지속되는 호흡부전

Prolonged Respiratory Failure

기계환기환자 중 약 20%는 환자의 질병이나 손상이 일단 해결되더라도 빠른 해방(liberation)이 불가능하다. 이는 환자가 원래 갖고 있던 질병이나, 심부전, 만성폐질환, 영양실조, 탈조건화(deconditioning), 위험질병 다발신경병증(critical illness polyneuropathy) 등에 기인할 수 있다. 장기간 호흡부전, 또는 이탈곤란(difficult weaning)에 대한 적절한 정의는 '적어도 세 번의 자발호흡시험(SBT)이 끝났는데도 삽관상태이거나 아니면 급성질환 또는 손상이 해결된 지 7일 이상 지난 후에도 환자가 여전히 삽관상태'인 경우이다.[18]

기관절개술의 시기(Timing of tracheostomy)

기관절개술의 시기에 대해서는 논란의 여지가 있으며 병원이나 의사에 따라 크게 다르다. 많은 중환자전문의들은 2주 이상 호흡부전이 지속되면 기관절개술을 시행해야 한다는 것에 동의하지만, 또 다른 많은 의사들은 2주도 너무 길어서 기다릴 수 없다고 생각한다. 이 주제에 대한 문헌도 나뉘어져 있다. 어떤 연구는 조기 기관절개술(early tracheostomy)이 효과적이라는 결과를 보여주었고,[24] 반면에 최근 시행된 다기관무작위임상시험에서는 조기 기관절개술의 이점이 없다는 결론이 나왔다.[25] 그러나 이 연구에서는 기관삽관 14일 후에 기관절개술을 시행하도록 무작위 배정된 군의 상당수 환자들이 기관절개술 시행전에 발관(extubation)을 하게 되어, 2주간 기다려 보는 것이 반드시 나쁜 것만은 아님을 시사하였다.

조기기관절개술(early tracheostomy)의 이점은 환자의 편안함, 이동성 증가, 진정제 필요성 감소, ICU 재실기간 단축 등이다. 반면에 기관절개술의 단점은 침습적 시술의 필요성, 기관협착증의 위험성, 그리고 기관절개술이 환자에게 주는 심리적 부담(많은 사람들이 기관절개를 암과 같은 만성질환과 연관 짓기 때문에)등이 있다. 내 경험상, 의료인들 사이에서도 물론 심리적인 변화가 있다. 일부 환자들의 경우 기관절개술을 시행하면 'trach patient'가 된다. 의사와 간호사들은 'trach patient'를 요양원에 보낼 가능성이 더 높은 환자로 보게되며, 환자가 인공호흡기에서 해방된 다음에도 삽입관제거(decannulation 즉, 제거)하는 것을 주저할 수 있다.

다른 모든 것들과 마찬가지로, 기관절개술 시기를 결정하는 것은 개개 환자의 상황에 따라 개인화 할 필요가 있다. 신경학적 질환이나 외상 또는 기도폐쇄장애 때문에 장기간 기계환기의 필요성이 예상되는 경우에는 기관절개술을 다소 신속하게 시행해야 한다. 반면에, 만약 질병과정이 1-2주 안에 회복될 것으로 예상하는 상황이라면(흉 또는 복부 외상, 폐렴, 천식지속상태, CHF의 악화) 나는 일단 기다려 본다.

기관절개술 제거(Removing the Tracheostomy)

환자가 일단 인공호흡기에서 해방되면, 이제는 삽입관제거(decannulation)에 대해 생각해 볼 시간이다. 분명히 이것은 많은 요인에 따라 달라지며 기관절개관을 제거할 수 있는 시기에 관한 구체적인 규칙은 없다. 삽입관제거(decannulation)에 대한 일반적인 요건은 다음과 같다:

1. 환자는 침대에서 일어나 돌아다닐 수 있어야 한다(휠체어를 타고라도).
2. 기관절개관을 막더라도(예: Passy-Muir® Speaking Valve) 편안하게 말하고 호흡할 수 있어야 한다.
3. 흡인(suctioning)을 자주하거나 폐분비물등을 배출하는 조치를 취할 필요가 없어야 한다.
4. 양압환기의 필요성이 예상되지 않는다.

장기 호흡기부전의 원인(Contributors to Prolonged Respiratory Failure)

기계환기를 시행하게 되는 수 많은 이유들은 명백하며 또 치료를 해야 한다. 다음 목록은 명확하지 못한 몇 가지 원인들이다. 동적과팽창(dynamic hyperinflation), 섬망(delirium), 횡격막마비, 갑상선 기능저하증, 신경근육질환은 모두 호흡부전이 장기화되는 비교적 흔한 숨겨진 원인(occult condition)의 좋은 예다.

폐: 동적과팽창, 횡격막마비, 폐섬유화

심장: 좌심실 수축 기능저하, 폐고혈압, 심낭삼출, 협착심장막염(constrictive pericarditis)

신경학: 뇌간병변, 경추손상 또는 질병, 신경근육질환

내분비: 갑상선 기능저하증, 부신저하증, 낮은 테스토스테론(남성에서)

영양실조

중병신경근육병(critical illness neuromyopathy)

탈조건화(deconditioning)

섬망(delirium)

영양보조(Nutritional Support)

장내 경로(enteral route)를 통한 적절한 칼로리 및 단백질 섭취는 중환자치료약물의 기본이 되는 원칙의 하나(tenet)이다. 중환자실에 입원한 대부분의 환자에서 필요한 영양요구량은 단백질 1-1.5 g/kg과 탄수화물과 지방으로부터 얻는 25-30 kcal/kg의 칼로리라고 추정된다. 저자는 장기간 치료하는 호흡부전환자를 위해, 1-2주마다 환자들의 영양요법(nutritional regimen)에 대한 좀 더 세심한 평가를 한다.

균형잡힌 식단은 호흡상수(RQ) 0.8을 만들어 낸다. RQ는 체내 CO_2생산을 O_2소비량으로 나눈 것이다. 식품 공급원에 따라 RQ가 다르다. 지방으로만 구성된 식단은 RQ가 0.7인 반면 탄수화물만 섭취하는 식단은 RQ가 1.0이다. 만약 RQ가 너무 높으면(0.85 이상) 과도한 호흡일(work of breathing)을 유발하고, 신진대사에 의해 생성된 CO_2를 모두 제거해야 하는 기관은 결국 호흡기가 된다. 호흡가스대사분석검사(metabolic cart study)는 RQ를 측정하는 데 사용될 수 있다. RQ가 0.85을 넘으면 저탄수화물 튜브영양처방(tube feeding formula)으로 바꾼다.

호흡가스대사분석검사(metabolic cart study)는 또한 휴식대사량(resting energy expenditure, REE)을 계산할 수 있다. 한 환자에게 휴식대사량(REE)을 넘어서 필요한 칼로리 양을 예측하는 많은 공식들이 있다. 나는 단순함을 유지하기 위해 휴식대사량(REE)에 약 500 kcal를 추가하여 환자들에게 공급하려고 노력하며 환자의 모든 칼로리 요구량에 맞춰 탄수화물과 지방(60/40 비율로 공급, RQ를 낮추기 위해)을 공급하려고 노력한다. 그렇게 하면 단백질이 에너지를 생성을 위해 연소되는 대신 근육을 만드는 데 사용될 수 있다.

단백질대사의 질소부산물은 대부분 소변으로 배출된다. 약 2 g N은 대변에서 배출되고, 또 다른 2 g은 피부를 통해 배출된다. 24시간 소변요소질소(24-hour urine urea nitrogen, UUN)를 채취하면 소변을 통해 질소부산물이 얼마나 소실되는지 알 수 있다. 이것들을 더하면, 환자의 일일 질소배출량을 알 수 있다. 단백질은 16%의 원소가 질소이기 때문에 하루 총 질소배설량에 6.25를 곱하면 균등하게 분해하는데 필요한 단백질 양(그램)을 얻을 수 있다. 골격근 동화작용(합성대사)에 충분한 단백질을 공급하기 위해 이것보다 10-20 g 정도 추가의 단백질을 공급하려고 한다. 예를 들어 환자가 24시간 UUN이 10 g N이면 하루배설량은 14 g(소변에서 10 g, 대변에서 2 g, 피부에서 2 g)이다. 14에 6.25를 곱하면 87.5 g의 단백질이 균등하게 분해되어야 한다. 그러므로, 나는 환자가 하루에 100 g의 단백질을 확실히 섭취하도록 할 것이다.

중병신경근육병(Critical Illness Neuromyopathy)

중환자실에서 이런 상태는 꽤 흔하다. 중병신경근육병(critical illness neuromyopathy)와 관련된 약물로는 아미노글리코사이드 항생제, 코르티코스테로이드, 신경근차단제 등이 있다. 고용량

스테로이드 요법과 장기적인 신경근육차단제를 동시에 투여한 경우가 이 질환의 가장 흔한 원인 중 하나이다. 임상적으로는 쇠약함(weakness)과 반사작용의 감소로 나타난다. 신체검사 결과는 가벼운 쇠약(weakness)에서 사지불완전마비(tetraparesis)에 이르기까지 다양하다. 대개 안면신경에서는 이 질환이 발생하지 않는다. 확진은 근전도검사(electromyography)로 할 수 있으나, 보통은 적절한 임상병력으로도 진단하기에 충분하다. 중병신경근육병은 환자로부터 인공호흡기를 이탈시키려는 노력을 방해할 수 있다. 불행하게도 이질환에는 좋은 물리치료와 시간외에는 다른 치료법이 없다.

섬망(Delirium)

섬망은 두 가지 유형으로 분류될 수 있다. 즉, 과다활동(hyperactive)섬망과 저활동(hypoactive)섬망이다. 과다활동섬망은 관심을 가장 많이 받게되며 또 심야당직시 전화의 가장 흔한 원인이다. 저활동섬망은 조금 애매하지만 여전히 문제다. 두 유형에서 모두 환자의 기도 보호 능력에 대한 우려때문에 장기간 호흡부전 상태가 계속 유지될 수 있다.

섬망은 환자의 일차적 질환, 약물 또는 중환자실의 환경적 요인 때문에 발생할 수 있다. 섬망의 중요한 가역적 원인으로는 패혈증, 알코올금단, 뇌졸중, 심근허혈증, 폐색전증, 통증 등이 있다. 가능한 모든 원인들을 찾아내야 하고 또 치료해야 한다. 비록 불가능하지는 않지만 어떤 환자들에서는, 과량의 진정제를 투여 없이 기계환기를 시행하는 것이 매우 어려운 경우가 있다. 이와 같은 환자들에서는 기관절개관(tracheostomy tube)이 기관내관(endotracheal tube)보다 훨씬 잘 견딜 수 있고 진정제 사용량을 줄일 수 있기 때문에 기관절개술(tracheostomy)이 보다 더 유익할 수 있다.

약물은 섬망의 또 다른 중요한 원인이다. 벤조디아제핀을 지속으로 주입(continuous infusion)하든지 간헐적 용량이라도 장기간 투여하면 역설적인 초초(agitation)와 혼란(confusion)을 초래할 수 있다. 벤조디아제핀을 주입하면 환자를 잠든 것처럼 보이게 할 수 있지만 실제로 일어나는 렘수면은 거의 없다. H_2-수용체 차단제와 플루오로 퀴놀론도 섬망과 관계가 있는데 특히 노인들에서 많이 발생한다. 덱스메데토미딘(dexmetetomidine)은 기계환기 중인 환자들을 위한 진정제로 연구되어 왔으며 벤조디아제핀과 비교했을 때 섬망이 적은 것처럼 보인다.

환경적 요인들이 소위 "중환자실 정신병(ICU psychosis)"을 일으킬 수 있는데, 나는 이것이 수면박탈(sleep deprivation)을 의미하는 고급용어라고 믿는다. 중환자실에서 숙면을 취하는 것은 매우 어려운 일이다. 그리고 이것은 채혈, 형광등 불빛, 경고음 그리고 현대적인 중환자실의 다른 모든 광경들과 소리들로 인해 더욱 나빠진다. 환자들이 밤에 잠을 잘 수 있도록 가능한 모든 노력을 해야 한다. 정말 필요하지 않다면 야간 채혈을 최소화하는 것은 좋은 출발점이다. 소등하고 주변 소음을 줄이는 것도 도움이 될 수 있다.

이동성(Mobility)

혼수나 쇼크상태 또는 중증 호흡부전등의 중환자실 환자는 침상안정(bedrest)을 해야 한다는 것은 상식처럼 보인다. 그러나, 납득할 수 없는 것은, 환자가 질병에서 회복되기 시작한 후에도, 날마다 등을 대고 똑바로 누워 지내는 것이다. 하루 종일 침대에 누워 있는 것은 건강에 좋지 않다. 게다가, 장기간의 침상안정은 욕창(decubiti), 심부정맥혈전증(deep venous thrombosis), 무기폐(atelectasis), 폐렴, 근육쇠약(muscle wasting), 그리고 다른 많은 나쁜 것들과 관련있다.

대부분의 삽관환자들이 침대에서 일어나면 안되는 이유는 없다. 중환자실 근무자들의 도움을 받아야겠지만, 분명히 가능하다. 여기에는 신체적인 또한 심리적 효과가 있다. 신체적인 면을 보면 똑바로 앉아 있거나 도움을 받으며 침대 머리맡에 서 있으면 중심근육들(core muscles)이 강화되고 중환자에서 흔히 볼 수 있는 근육쇠약(muscle wasting)를 예방할 수 있다. 자세변경에 의해 무기폐가 감소하고 또한 폐의 가스교환이 개선된다. 기관내관을 통해 앰부백을 이용하거나 또는 최근 대부분의 인공호흡기에는 충전지와 휴대용 O_2공급장치가 있기 때문에 환자의 뒤를 따라가도록 인공호흡기를 밀면서 환자가 걷도록 하는 것도 당연히 가능하다.

심리학적 관점에서 보면, 환자들이 움직이고 자세변경이 가능하면 진정제가 덜 필요한 것 같다. 하루종일 침대에 누워 지내보는 것은 당신(일에 바쁜 전공의들)에게는 좋은 일이라고 생각할 수 있겠지만, 그것은 당신이 스스로 몸을 움직이고, 베개를 조절하고, 원하면 앉을 수 있을 때의 이야기이다. 그런데 기관삽관환자들이 이와 같은 시도를 하려할때 우리는 아이러니하게도 환자들을 억제대로 묶고 진정시키려 하고 있지 않는가! 운동은 또한 힘을 북돋아 주는데 매일 적은 양이라도 운동을 하게되면 환자들에게 회복 중이라는 느낌을 줄 수 있다.

중환자실에 있는 모든 환자들은 물리치료사에게 평가받을 것을 추천한다. 다른 중환자실 근무자들도 조기운동(early mobility)과 보행이 중환자치료에서 중요한 부분이라는 것을 이해하고 이를 중환자실의 일상적인 일과에 포함시키는 것이 중요하다. 기관삽관 환자가 침대에서 일어나면 안 되는 유일한 이유는 다음과 같다.

1. $FiO_2 \geq 60\%$ 또는 PEEP ≥ 10 cm H_2O
2. 해부학적 이유(골절된 다리, 개복상태, 흉골의 개방 등)
3. 혼수상태
4. 쇼크(승압제를 사용 중인)

그렇다. 대부분의 ICU 환자들은 이와 같은 범주에 속하지 않는다. 따라서 대부분의 ICU 환자들은 움직여야 한다!

장기간 지속되는 호흡부전환자에서 인공호흡기 이탈(Ventilator Weaning in Prolonged Respiratory Failure)

기관삽관 환자들의 대부분은 이탈(weaning, 즉 신생아의 이유기간처럼 장기간의 시간이 필요한)이 필요하지 않으며 따라서 매일 평가과 자발호흡시험(SBT)을 시행할 필요가 있다. 그럼에도 이 방법에 실패한 사람들에게는 인공호흡기 보조를 어느 정도 점진적으로 축소시키는 방법이 도움이 될 수 있다. 불행하게도 장기간 지속되는 호흡부전환자의 이탈에서 어떤 방법이 다른 방법에 비해 더 효과적이라는 것을 증명한 임상연구는 없다. 어떤 병원들은 SIMV 이탈법으로 매일 보조되는 호흡수를 점차 줄이면서 압력보조(pressure support)를 적용한다. 다른 병원들은 낮에는 편안한 호흡을 유지할 수 있는 PSV모드를 사용하고 저녁에는 호흡근의 휴식을 위해 보조제어(assist-control) 환기모드를 적용하기도 한다. 또 다른 병원에서는 환자가 견딜 수 있을 때까지 인공호흡기의 보조가 없는 자발호흡(T-피스 또는 기관절개관마스크)을 시행하고 환자의 호흡근피로가 발생하면 보조조절환기를 시행한다.

인공호흡기 자체가 질환을 치료하는 것이 아니기 때문에, 어떤 특정 환기모드가 다른 환기모드에 비해 더 우수함을 증명할 수 있다고 생각하는 것은 정말로 이해가 되지 않는다. 호흡근 피로가 환자들에게 나쁜 것은 당연하므로, 프로토콜화된 접근법을 사용하여 점차적으로 호흡보조를 줄이는 방법을 적용하는 것이 호흡보조를 전적으로 시행했다 중단했다와 같은 단순한 방법으로 수행하는 것보다 좋다는 것이다. 가장 중요한 요소는 어느 특정 병원에서든지 이탈법을 표준화하는 것이다. 어떤 이탈법을 사용하는냐가 중요한 것은 아니고 우선적으로 사용할 표준화된 이탈법을 갖고 있는 것이 중요하다. 특정 요일에 어떤 의사가 회진하느냐에 따라 인공호흡기 이탈 전략이 크게 달라진다면, 성공적인 결과를 얻기는 어려울 것이다.

다시 한 번 정리하면, 호흡기와 관계없는 것에 대한 관심도 중요하다. 적절한 영양, 운동성(mobility) 그리고 섬망의 예방은 인공호흡기 이탈 전략만큼이나 핵심적인 것이다. 중환자치료에 관계된 모든 다른 것들과 같이 세세한 사항이 모두 중요하다.

마지막으로, 현실적이 돼라. 좋은 날, 나쁜 날, 그리고 좌절하는 날도 있을 것이다. 낙담하지도 말고 또 환자를 낙담시키지 마라. 수 일간 인공호흡기 이탈시도를 중단하는 것이 필요할 수도 있지만, 그것 때문에 좌절 속에서 포기로 이어져서는 안 된다. 늘 긍정적이기 바란다!

PS와 함께 SIMV로 이탈하는 프로토콜* (SIMV with PS Ventilator Weaning Protocol*)

- 환자가 기관절개술을 받았다고 가정함
- SIMV는 일회호흡량 8 mL/kg PBW
- FiO_2 30-50%, PEEP 5-8 cm H_2O
- 환자가 단계를 모두 완료할 수 없는 경우, 인공호흡기를 다시 연결(trach collar를 하고 있는 경우)하거나, 필요에 따라 1-3단계를 뒤로(인공호흡기에 연결되어 있는 경우) 그리고 다음날 다시 시도한다.

* Trach collar time: 인공호흡기 연결을 중단한 시간임

Day	Trach Collar Time	Vent Settings
1	–	Rate 10, PS 20
2	–	Rate 8, PS 20
3	–	Rate 6, PS 20
4	–	Rate 4, PS 20
5	–	Rate 4, PS 18
6	–	Rate 4, PS 16
7	–	Rate 4, PS 14
8	–	Rate 4, PS 12
9	–	Rate 4, PS 10
10	1 hour	Rate 4, PS 10
11	2 hours	Rate 4, PS 10
12	4 hours	Rate 4, PS 10
13	6 hours	Rate 4, PS 10
14	8 hours	Rate 4, PS 10
15	10 hours	Rate 4, PS 10
16	12 hours	Rate 4, PS 10

Day	Trach Collar Time	Vent Settings
17	16 hours	Rate 4, PS 10
18	20 hours	Rate 4, PS 10
19	24 hours	–
20	24 hours	–
21	24 hours	–

* Modified from the TIPS Ventilator Weaning Protocol [Chest 2001 Jan; 119(1): 236-42.]

자동모드† 인공호흡기 이탈 프로토콜이 있는 PRVC

(PRVC with Automode† Ventilator Weaning Protocol)

- 환자가 기관절개술을 받았다고 가정함
- 일회호흡량 8 mL/kg PBW
- 호흡수 10회/분
- FiO_2 30-50%, PEEP 5-8 cm H_2O

자동모드(automode)를 활성화시킨다(Servo ventilatior의 PRVC에서, 용적보조가 될 것이다).

용적보조(Volume Support)에서 인공호흡기는 압력보조환기(Pressure Support Ventilation)에서 처럼 환자가 자발호흡 할 수 있게 허용하지만 목표 일회호흡량을 공급하기 위해 필요에 따라 흡기압을 조절한다. 자동조정 압력보조라고 생각하라.

환자의 유순도와 호흡근력이 호전됨에 따라 더 적은 압력으로도 목표 일회호흡량의 공급이 가능하다. 최고흡기압은 그에 따라 낮아질 것이다.

만약에 환자의 상태가 악화되면 목표 일회호흡량을 공급하는데 더 많은 압력이 필요하게 되고 그에 따라 최고기도압이 올라가게 된다.

매일 환자가 견딜 수 있는 한 오랫동안 trach collar를 통해 호흡하도록 하라. 환자가 피로해지면 PRVC/Automode로 돌아가라.

† Maquet Servo 인공호흡기와 함께 사용. 이것은 어떤 인공호흡기를 사용하든 쉽게 적응될 수 있다. 예를 들어 오토모드 대신 비례보조(Proportional Assist)를 사용할 수 있다. 인공호흡기와 함께 제공된 사용설명서를 읽어보라.

17

대유행 또는 다수사상자 발생 시 기계환기

(Mechanical Ventilation during a Pandemic Or Mass Casualty Event)

이 글을 쓰는 지금 전 세계는 COVID-19이라고도 알려진 SARS-CoV-2로 고통받고 있다. 이 코로나바이러스의 확산은 많은 수의 중증환자를 치료하는 우리나라(미국)의 의료체계(healthcare system)의 약점을 드러냈다. COVID-19에 감염된 많은 환자들이 ARDS로 진행되므로 기계환기치료가 필요하다. VV ECMO가 매력적이기는 하지만, 대규모로 적용하기에는 실용적이지 못한 매우 자원-집약적(resource-intensive)인 치료법이다. 따라서 최첨단 치료법의 사용가능 여부를 떠나서 중환자전문의나 다른 의사들이 많은 환자를 인공호흡기로 치료하고 있다.

이같은 대유행 중에 우리는 "완벽함은 좋음의 적이다(Perfect is the enemy of the good. by Voltaire)"이라는 너무나 자명한 이치(truism)을 상기해야 한다. 우리의 목표는 가능한 한 많은 생명을 구하는데 초점을 맞춰야 하며 따라서 우리가 하고 있는 인공호흡기를 모두 완벽하게 설정할 수 있는 여유가 없다. 내가 이 장을 쓰고 있는 지금 이 순간 많은 급성호흡부전환자들이 중환자의학에 제한적인 경험밖에 없는 의사들에 의해 치료되고 있다. 그들은 자신들의 갖고 있는 경험을 갖고 최선을 다하고 있다. 이 장에서 COVID-19에 감염된 사람들에게 최선의 치료를 제공하는 방법에 대한 나의 추천사항들을 요약하겠지만 이것은 인플루엔자 또는 다른 전염병의 발생 또는 대규모 사상자 발생상황에도 쉽게 적용할 수 있다.

첫 번째 우선 순위는 의료진을 보호하는 것이다(Protect the people providing care). 환자를 돕기 위해 달려가는 것이 고귀하게 보일지 모르지만 전염병의 대유행 시 가장 중요한 자원은 자격을 갖춘 의료종사자의 공급이다. 중환자 치료에 참여하는 누구에게든지 개인보호장비(personal protective equipment, PPE)는 필수적이다. 반드시 마스크, 안면보호대, 가운 및 장갑을 착용해야 한다. 당면한 임무에 전념하고 있는 이들의 건강과 안전을 위태롭게 하는 그 어떠한 것도 허용될 수 없다. 마찬가지로 바이러스필터는 모든 인공호흡기(통상적 및 비 침습적 인공호흡기 모두 포함)에 부착되어야 하며 가능하면 음압병실로 개조해야 한다. 이러한 조치는 의료종사자와 다른 환자에게 바이러스가 전파되는 것을 억제할 수 있다.

두 번째 우선 순위는 중환자치료가 필요한 환자 수가 의료체계의 역량을 시험하는 상황에서는 K.I.S.S. (-Keep it simple, superstar; -단순하게 실행하자!)의 원칙을 유지하는 것이다. 가능한 한 결정해야 할 지점(decision point)을 많이 제거하자. 80%의 환자들에게 유효한 계획을 추진하자. 그러면 반응하지 않거나 도리어 악화되고 있는 20%를 해결하는데 필요한 시간과 인지능력(cognitive ability)을 아낄 수 있다. 이것의 기초가 되는 개념은 나중에 논의하겠지만 우선 많은 수의 급성호흡부전 환자에서 신속히 적용할 수 있는 계획을 원한다면 다음과 같다.

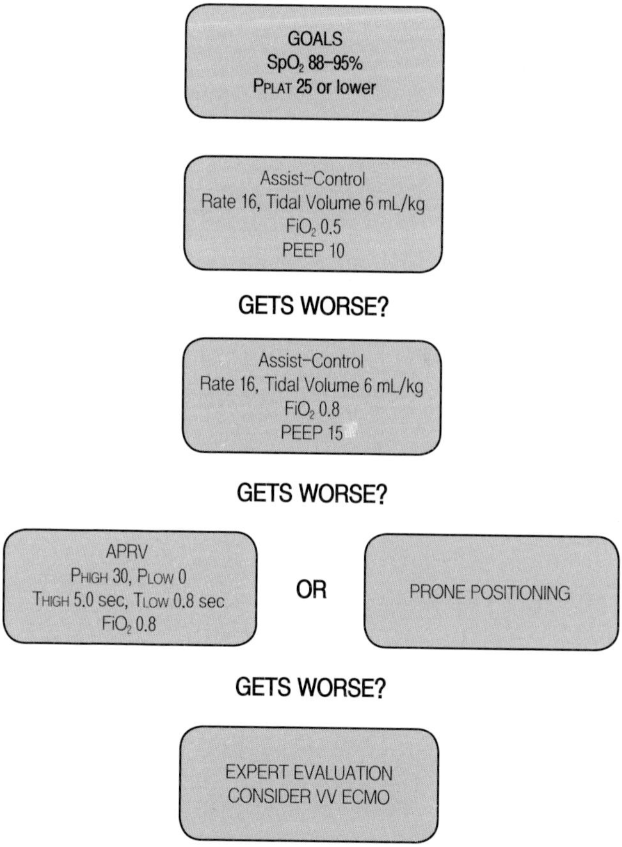

GOALS
SpO_2 88–95%
P_{PLAT} 25 or lower

Assist-Control
Rate 16, Tidal Volume 6 mL/kg
FiO_2 0.5
PEEP 10

GETS WORSE?

Assist-Control
Rate 16, Tidal Volume 6 mL/kg
FiO_2 0.8
PEEP 15

GETS WORSE?

APRV
P_{HIGH} 30, P_{LOW} 0
T_{HIGH} 5.0 sec, T_{LOW} 0.8 sec
FiO_2 0.8

OR

PRONE POSITIONING

GETS WORSE?

EXPERT EVALUATION
CONSIDER VV ECMO

당신이 만약 이 계획을 따른다면 대부분의 환자는 처음 두 단계에서 치료효과를 보일 것이다. 그렇지 못한 나머지 환자들은 APRV로 전환하거나 복와위자세(prone position)를 활용하여 치료한다. 분명히 말해서 환자들이 적절한 치료를 받기위해서는 약간의 조정이 필요하겠지만 이와 같은 윤곽이 지금과 같은 위기상황에서 기계환기를 제공하기 위해 수용 가능한 "큰 그림(big picture)"의 계획이 될 것이라고 감히 주장한다. 이를 통해 호흡치료사는 많은 문제를 해결할 수 있고 중환자담당 의료진은 치료 반응이 없는 환자들에게 자신의 인지노력(cognitive efforts)을 쏟아붓는 것으로부터 자유로워질 수 있다.

기본개념(Basic Concepts)

폐보호개념(lung protection) 전부와 인공호흡기관련 폐손상(ventilator associated lung injury, VILI)의 병태생리를 다시 반복하는 대신에 몇 가지 핵심적인 개념만 살펴보겠다. 이것이 환자 치료의 지침이 되며 인공호흡기 프로토콜을 간소화하는데 도움이 된다.

- 대부분의 환자에게는 4-8 mL/kg (예상체중, PBW)의 일회호흡량이 바람직하다. 이것은 정상인의 안정 시 일회호흡량인 5-6 mL/kg PBW와 비슷하다.
- 폐포신전(alveolar stretch)과 폐포손상의 가능성은 0.5-1.0

초간 유지되는 최종흡기압과 가장 밀접하게 연관되어 있다. 이를 평탄압(plateau pressure, PPLAT)이라고도 한다. 30 cm H_2O보다 높은 PPLAT는 폐손상 위험의 증가와 관련이 있으며 일부 연구에서는 PPLAT를 25 cm H_2O이하로 유지해야 한다고 추천하고 있다.

- 산소는 생명유지에 반드시 필요하며 중환자에서 FiO_2를 높여야 할 필요가 종종 있다. 그러나 즉, SaO_2 또는 PaO_2를 "정상화"하는 것에 대한 이점은 있다고 해도 거의 없다. SaO_2 88-95%에 해당하는 즉 PaO_2 55-80 mmHg이면 충분하다.
- 관련된 연구에서 100% 산소를 호흡하면 흡수무기폐(absorption atelectasis)가 발생하여 단락(shunt; 관류는 되지만 환기되지 않는 폐영역)이 악화될 수 있다. 폐포에 질소를 약간 공급하면 폐포의 안정화와 허탈방지에 도움이 된다. FiN_2는 최소 0.1이여야하며 가능하면 0.4-0.5가 이상적이다(역자 주: Room air의 FiN_2=0.78). 이는 이상적으로 FiO_2가 0.6보다 높지 않아야 함을 의미한다.
- PEEP은 폐포를 동원(recruit), 개방(OPEN)하여 가스교환에 참여하게 하고 호기말까지 폐포의 개방상태를 유지(KEEP IT OPEN)하는 역할을 한다. PEEP은 폐의 기능잔기용량(functional residual capacity)을 유지하고 산소공급을 개선하는 데 도움이 된다.
- ARDS 환자의 폐를 설명하기 위해 "강직폐(stiff lung)"이라는 단어가 사용되지만, 실제로 이것이 문제는 아니다. 문제

는 최소한 사용할 수 있는 부분의 폐가 작다(baby lung)는 것이다. 폐의 일부는 정상이며 일부는 손상되어 있다. 목표는 정상적인 부분의 폐를 사용하여 환자를 보조하고 과도한 팽창압이나 일회호흡량에 의한 추가 손상을 방지하는 것이다.

- 너무 많은 양의 일회호흡량은 한 번의 호흡만으로도 폐손상이 유발될 수 있으므로, 호흡수가 많을수록 폐손상의 가능성이 높아진다. 호흡수를 낮게 유지하면 기계환기가 환자의 폐에 가하는 전반적인 충격을 줄일 수 있다. 일반적으로 환자들은 호흡산증에 잘 견딘다.

인공호흡기 초기 설정(Initial Ventilator Settings)

대유행 또는 다수사상자 발생 상황에서 인공호흡기 초기 설정을 표준화하면 각각의 환자에 대해 개별화된 치료계획을 제시하는 중환자전문의에게 의존할 필요없이 많은 환자에게 적절한 치료를 제공할 수 있기 때문에 도움이 된다. 어쨌든 숨겨진 진실은 이와 같은 일이 대부분의 경우 우리가 이미 하고 있는 일이라는 것이다. 이 경우 주요한 문제는 저산소혈증이고 근본적인 폐의 병리는 급성폐포손상(예: ARDS) 중 하나라고 가정한다.

모드: **용적보조제어(Volume Assist-Control), 가능하면 감속기류(decelerating flow)로**

[압력보조제어(pressure assist-control)가 ARDS에 더 나은 선택이 될 수 있다는 근거가 늘어나고 있지만 용적보조제어가 가장 일반적으로 사용되는 모드이며 의사들이 쉽게 시행할 수 있는 방법을 적용하는 것이 적어도 기계환기를 처음 시작할 때는 좋다. 감속기류는 대부분의 인공호흡기에서 사용할 수 있으며 조합은 PRVC, VC+, CMV with Autoflow, APVcmv 등의 다른 상표명으로 알려져 있다.]

호흡수: 16 회/분

[이것은 정상범위의 최고 수준인 약 100 mL/kg/분의 분당환기량을 제공해야 한다. 우리는 과탄산증에 대해 별로 걱정하지 않는다는 것을 기억하라.]

일회호흡량: 6 mL/kg PBW

[이는 일반적으로 받아들여지고 있는 폐보호환기(lung-protective ventilation)의 시작점이다.]

FiO_2: 50% 또는 0.5

[왜 100%가 아닌가? 우선, 대부분의 환자는 그렇게 높은 산소가 필요하지 않다. 50%로 시작하면 FiO_2를 조정해야 할 횟수를 줄일 수 있다. 또한 FiO_2 50%에서는 폐포를 개방상태로 유지하기 위해 필요한 적절한 농도의 폐포 질소를 공급할 수 있다.]

PEEP: 10 cm H_2O; 그러나 BMI> 50 인 경우 15 cm H_2O
[PEEP은 폐포를 열고 또 열린 상태를 유지하므로 가스 교환 및 기능잔기용량(functional residual capacity)을 좋게 한다. 흉부엑스선 사진에 흰색 음영이 많을수록 더 높은 PEEP이 필요하다. 비만환자(BMI> 50)에서는 흉벽에 의해 증가된 제한장애에 대응하기 위해 더 높은 PEEP이 필요하다.

이러한 설정은 대부분의 환자에게 적용된다. 최소한 기계환기를 시작하는 시점에서는... 물론 약간의 조정이 필요할 수 있다. 다음과 같은 지침을 따르면 된다.

- 4시간마다 P_{PLAT}을 확인하라. P_{PLAT}를 25 cm H_2O 이하로 유지하기 위해 필요에 따라 일회호흡량을 낮춘다. 정상적인 폐포의 과다팽창(overdistension)과 손상을 방지하는 것이 목적이다.
- 동시에 호기말압(end-expiratory pressure)도 측정한다. 측정된 PEEP이 설정된 PEEP을 2 cm H_2O 이상 초과하면 "autoPEEP"이 존재하는 것이다. 환자가 숨을 내쉴 수 있는 호기시간이 충분하지 않은 경우 폐포가 과도하게 팽창된다. 호흡수를 분당 10회 또는 12회로 낮추어 호기가스가 빠져나가는 데 더 많은 시간을 설정한다.
- SpO_2를 88-95%로 유지하라. 이 정도면 생명을 유지하기에 충분히 높다. 맥박산소측정기가 신뢰할만 하다고 생각

되면 총산소전달(total oxygen delivery)측면에서도 SpO_2 (SaO_2의 대리)가 훨씬 더 중요하므로 PaO_2를 측정하기 위해 ABG를 자주 할 필요가 없다.*

- 필요에 따라 중탄산나트륨을 투여하여 pH를 7.15 이상으로 유지한다. 그 외에 환자에게 두개내압항진이나 심한 폐동맥고혈압등의 문제가 없는 한 고탄산호흡산증(hypercapnic respiratory acidosis)에 대한 걱정은 필요 없다. 대부분의 환자는 호흡산증을 아주 잘 견딘다. 이렇게 하면 인공호흡기 조정(및 호흡치료사의 노력)의 필요성이 최소화된다. 또한 폐손상을 예방할 수 있다. 인공호흡기가 일회호흡량을 공급할 때마다 폐손상의 가능성이 있으므로 호흡수를 낮추는 것은 도움이 된다.
- 필요에 따라 문제를 해결하되 인공호흡기는 보조수단(means of support)이며 환자의 원인질환이 더 빨리 좋아지게 하는 데에는 어떤 역할도 할 수 없다는 것을 마음에 새기고 있어야 한다. 당신의 목표는 환자가 살아있도록 하고 환자가 원인질환에서 회복될 때까지 유해한 인공호흡기 설정으로 환자를 악화시키지 않는 것이다.

---

* DO_2 = Cardiac Output × Hemoglobin × SaO_2 × 13.4 + [PaO_2 × 0.003]. 이 공식에서 알 수 있듯이 전달되는 산소의 대부분은 헤모글로빈에 결합되어 있으므로 포화도(SaO_2)는 용존산소압(PaO_2)보다 훨씬 더 큰 요소이다. PaO_2의 기여도는 너무 적어서 계산을 쉽게 하기 위해 계산식에서 생략하는 경우가 많다. 따라서 맥박산소측정기가 적절히 설치되고 작동하여 SpO_2가 SaO_2를 잘 반영하면 불필요하게 ABG를 자주 시행할 필요가 없어진다.

환자가 악화될 때(When the Patient Gets Worse)

많은 환자들에서 PEEP 10 cm H_2O와 FiO_2 0.4-0.6을 설정하더라도 저산소 상태를 벗어나지 못할 수 있다. 만약 SpO_2가 88% 미만인 상태가 지속되면 인공호흡기 보조를 점차 확대해야 한다. 먼저 가장 쉬운 방법은 PEEP과 FiO_2를 높이는 것이다. PEEP을 15 cm H_2O로, FiO_2를 0.8로 높이면 많은 환자에서 도움이 된다. 특별히 중환자실 의료진이 SpO_2가 87-88% 정도라도 괜찮다는 사실을 이해한다면 말이다. 필요에 따라 PEEP을 20 cm H_2O로 올릴 수 있지만 주의하기 바란다. 이 정도 수준의 PEEP은 혈류역학적인 장애를 초래할 수 있으며 또한 폐포가 과도하게 팽창되면 가스교환에도 악영향을 미칠 수 있다. 15 cm H_2O 보다 높은 PEEP에서 호전되는 소견을 보이면 적절한 일회호흡량을 유지하기 위해 P_{PLAT}를(25 대신) 30 cm H_2O 이하로 높게 허용해야 한다.

기도압방출환기(Airway Pressure Release Ventilation, APRV)

통상적인 기계환기로도 환자의 상태가 회복되지 않는 경우 다음 단계로 합리적인 환기법은 기도압력방출환기(airway pressure release ventilation, APRV)이다. 대부분의 최신 인공호흡기에는 APRV 모드가(Bi-Vent 또는 Bi-Level이라는 이름으로 불려서 마치 다른 모드인 것처럼 보인다) 있다. 일반적으로 APRV는 4-6초 동안 장시간 팽창압(inflation pressure)을 유지한 후 신속히 호흡기회로의 압력을 떨어드리는 방법으로 작동한다. 감압(depressurization)을 통해 폐포에서 CO_2를 제거할 수 있으며 감압시간은 0.5-1.0초로 짧다. APRV이란 용어가 혼란스러울 수 있지만 그 개념은 비교적 간단하다.

- PHIGH: 대부분의 시간동안 폐포에 유지되는 압력. CPAP이라 생각하면 된다. 이때 기도압은 일반적으로 25-30 cm H_2O이다.
- THIGH: 환자가 PHIGH에서 보내는 시간.
- PLOW: 인공호흡기가 "감압"하는 압력이다. 호기류(expiratory flow)를 최대한 허용하기 위해 일반적으로 0으로 설정할 수 있지만 심한 저산소혈증이 있는 경우 5-10 cm H_2O까지 높일 수 있다.
- TLOW: 호흡회로의 압력이 감압 또는 해제되는 시간. 이것은 0.5-1.0초로 짧기 때문에 모집(recruit)된 폐포가 허탈(collapse)되지 않는다. 이 정도의 시간은 CO_2를 배출하기에는 충분히 짧지만 그 이상의 시간은 필요하지는 않다. TLOW는 일반적으로 최대호기류(peek expiratory flow)의 약 50% 정도가 감소할 정도로 조정한다. 이보다 짧은 시간이면 이산화탄소 배출에 장애가 올 수 있다. 또한 이것 보다 긴 시간을 설정하면(특히 기류가 0이나 0에 가까워질 정도면) 폐포재허탈(alveolar derecruitment)이 발생한다.

APRV에서 산소화를 개선하는 방법:

- PHIGH를 최대 35 cm H_2O까지 높인다.

- FiO_2 높인다.
- THIGH를 늘리면 평균기도압이 증가한다.
- PLOW를 최대 10 cm H_2O까지 높인다(이렇게 하면 $PaCO_2$는 높아지지만 산소화가 더 중요하므로).

APRV에서 환기(CO_2 배출)를 개선하는 방법 :

- PHIGH를 높인다. PHIGH와 PLOW 사이의 차이가 클수록 더 많은 호기가스가 방출된다.
- THIGH를 줄인다. 이것은 방출(release)의 빈도를 증가시킨다.
- TLOW를 늘린다. 이렇게 하면 더 많은 호기가스가 방출되지만 폐포재허탈(alveolar derecruitment)의 위험이 있다.

APRV의 일차적인 장점은 매우 높은 팽창압을 가하지 않고도 평균기도압력과 산소공급을 증가시킬 수 있다는 것이다. APRV에서 4 - 6 초 동안 기도압을 유지하는 것이 더 짧은 시간 안에 폐를 팽창시키기 위해 가하는 부담(통상적인 기계환기법에서 하는 것과 같은)없이 더 많은 폐포를 모집(recruit) 할 수 있다.

복와위자세(Prone position)

복와위자세(prone position)환자는 ARDS 치료의 중심이며 많은 장점이 있다. 복와위자세는 폐의 국소적인 과다팽창을 방지하여 폐를 "균질화"하는 데 도움이 된다. 또한 분비물 제거에도 도움이 되며 흉부에 가해지는 복부장기 무게의 부담을 줄여 준다.

또한 복와위자세는 생리적으로도 부담이 없다. APRV와 달리 호흡일의 증가, 에너지소모량의 증가 또는 폐에 추가적인 스트레스나 긴장을 유발하지 않는다. 그런데 우리는 왜 모든 환자들에서 복와위자세를 하고 있지 않는가? 주된 이유는 중환자실 의료진의 잠재적인 노출 위험과 관련이 있다. 하루에 두 번 안전하게 복와위자세를 시행하기 위해서는 4-6명의 간호인력이 필요하다. 복와위자세는 가용 간호인력이 있어야 하며 개인보호장구(personal protective equipment, PPE)를 착용하더라도 병원균(COVID-19)의 감염위험은 항상 존재한다. 따라서 APRV가 실패하거나 적용할 수 없는 경우에만 복와위자세의 시행을 고려해야 한다.

복와위자세를 취한 다음 16-18시간 이 자세를 유지한 후 다시 앙와위로 복귀한다. 신경근차단제 및 고용량의 진정제를 투여하면 기관삽관튜브나 여러 연결선이 빠지는 것을 방지할 수 있지만 필수적인 것은 아니다. 앙와위에서 PaO_2/FiO_2 비율이 150이상 될 때까지는 복와위자세환기를 계속해야 한다.

잘 쓰이지 않는 치료방법(Therapies That Are Less Preferred)

단순히 저산소혈증 때문에 흡입산화질소(inhaled NO)를 사용해서는 안된다. ARDS에서 흡입산화질소(inhaled NO)에 대한 긍정적인 연구결과가 없기 때문이다. 그러나 만약 우심실기능의 중증장애나 심인성쇼크(cardiogenic shock)가 있는 경우에는 흡입산화질소가 유용할 수 있다.

고빈도진동환기(High frequency oscillatory ventilation, HFOV)를 사용할 수 있지만 여러 가지 이유로 잘 사용되지 않는다.

- HFOV의 가용성이 제한된다(HFOV전용 인공호흡기가 필요하다).
- HFOV적용시 환자에서 발생한 문제를 알려주는 경보가 없으므로 그렇지 않아도 환자 감시에 어려움이 있는데 호흡기 격리 상황에서는 환자감시가 더욱 어렵다.
- APRV는 HFOV가 작용하는 것과 비슷하게 평균기도압을 높여서 산소화(oxygenation)를 호전시킨다. 그럼에도 APRV는 사용하기 편리하고 특별한 장비(미국에서는 Sensormedics 3100B 밖에 없다)가 필요하지 않다.
- 임상시험에서 중증도와 관계없이 ARDS에서 HFOV의 이점을 보여주지 못했다.

다른 것들(Other Things)

중환자들을 돌보는 데 필요한 다른 일들을 잊지 마라. 현재의 중심은 호흡치료(respiratory care)이지만 우리가 환자 전체(patients as a whole)를 치료하고 있는지 확실히 해야 한다.

- 가능한 신속하게 장내 경로(enteral route)를 통해 영양공급을 해야 한다. 상업적으로 구매 가능한 관급식은 약 25 kcal/kg/day를 목표로 하지만 환자가 완전영양(full feeding)를 감당하지 못한다고 해서 스트레스를 받을 필요는 없다. 장으로 무엇이라도 공급해라.
- 이뇨제는 산소화(oxygenation)에 도움이 된다. 환자의 체중을 환자의 평소체중의 ±5% 이내로 유지하고 한 번에 주입하는(bolus) 과도한 수액공급을 피하자. 혈류역학적으로 불안정한 상태이면 알부민/ 퓨로세마이드를 병합해서 사용하는 것이 도움이 될 수 있다.†
- DVT의 예방을 위해-에녹사파린을 투여하고 신기능 장애가 있는 경우에는 헤파린을 투여한다.
- 환자의 호흡 및 혈류역학 상태가 호전되면 조기운동(early mobilization)을 시킨다.
- FiO_2가 0.5 또는 그 이하로 떨어지거나, PEEP이 10 cm H_2O 또는 그 이하로 떨어지면, 또 환자가 열이 없으면 기관절개술을 시행한다.

> 이 장은 곧 출판될 "Advanced Ventilator Book"의 2판에 포함될 예정이다. 그러나 COVID-19에 의한 현재 상황 때문에 저자에 의해 공개되었다. 중환자를 돕기 위해서라면 누구에게든지 이 문서를 복사하고 배포할 수 있다. 그러나 이 문서의 상업적인 사용은 저자의 명시적인 서면동의 없이는 허용되지 않는다.

† 25% 알부민 12.5 g을 IV q6h 투여하고 매번 알부민 투여 후 20-40 mg의 IV 퓨로세마이드를 주사, 또는 알부민과 함께 퓨로세마이드를 매 6시간마다 주입 할 수 있다.

COVID-19 기계환기 전략‡(COVID-19 MECHANICAL VENTILATION PLAN‡)

이 전략의 목적은 코로나바이러스 감염이 추정되거나 확진된 환자들에게 표준화된 인공호흡기 설정을 제공하는 것이다. 표준화된 계획을 세우면 의료진이 인공호흡기 설정을 조정해야 하는 횟수를 줄일 수 있고 불필요하게 호흡기 분비물에 의해 노출되는 것을 방지하는 데 도움이 된다.

이 계획은 임상적인 결정을 대체하기 위한 것이 아니다. 주치의의 재량에 따라 개별 환자에 대해 기계환기의 모드 또는 설정을 변경할 필요가 있다.

초기 인공호흡기 설정 :

모드: PRVC (Pressure Regulated Volume Control)§

호흡수: 16/분

VT: 6 mL/kg

FiO_2: 0.5

PEEP: 10 cm H_2O

목표 SpO_2는 88-95%이다. 이 범위보다 높은 SpO_2를 얻기 위해 FiO_2를 높일 이유가 없다.

일상적인 ABG는 필요 없으며 기계환기전략에 중대한 변화가 예상되는 경우에만 시행해야 한다.

목표 pH는 > 7.15이다. 그 외에는 고이산화탄소혈증(hypercapnia)이 허용된다.

최종흡기압을 4시간마다 측정한다. P_{PLAT}가 > 25 cm H_2O이면 P_{PLAT}가 25 cm H_2O가 될 때까지 VT를 줄인다.

호기말압을 4시간마다 측정한다. 측정된 PEEP이 설정된 PEEP보다 > 2cm H_2O이면 autoPEEP이 발생했을 가능성이 있으므로 인공호흡기 호흡수를 10-12/분으로 낮추고 VT를 8 mL/kg으로 늘린다.

위와 같은 설정에도 불구하고 저산소혈증(SpO_2 <88%)이 계속되는 경우 PEEP을 15 cm H_2O로, FiO_2를 0.8까지 높여보자.

PEEP이 15 cm H_2O이고 FiO_2가 0.8 임에도 불구하고 저산소혈증(SpO_2 <88%)이 있는 경우 APRV를 시작한다.

- P_{HIGH} 30 cm H_2O
- 저산소혈증 정도에 따라 P_{LOW} 0-5
- T_{HIGH} 5.0초
- T_{LOW} 0.8초 — 최대호기류의 50%정도까지 기류가 감소할 정도로 조정한다.
- FiO_2 0.8

APRV를 적용해도 호전이 없는 경우 복와위자세(복와위 16시간, 앙와위 8시간)환기를 시작해야 한다. 산화질소 흡입은 저산소혈증에 사용해서는 안 된다. 이것은 심장쇼크에서 우심실부전의 치료를 위해 남겨둔다.

---

‡ 원하면 이것을 인쇄하여 각 환자의 침대에 게시해 놓을 수 있다.
§ PRVC는 서보인공호흡기에 있다. 다른 인공호흡기를 사용하는 경우 감속기류(deceleration flow)가 있는 Volume Assist-Control (CMV with Autoflow, VC +, APVcmv 등으로도 알려짐)을 선택한다.

대유행 또는 다수사상자 발생 시 기계환기

Initial APRV Settings
P-high 30 cm H_2O
P-low 0 cm H_2O
T-high 5.0 sec
T-low 0.8 sec [Adjust for a drop in peak expiratory flow of 50%]
FiO_2 80%

Ensure ETT is in place
Rule out tube obstruction
Rule out pneumothorax

SpO_2 > 88%

NO →
In Preferred Order:
1. Increase P-high by 1-2, to a max of 35
2. Increase T-high by 1.0 sec
3. Increase P-low by 1-2, to a max of 10
4. Increase FiO_2 up to 100%

YES ↓

Lower FiO_2 (and P-low, if > 0) as tolerated for SpO_2 88-94%

pH > 7.15
$PaCO_2$ < 70

NO →
Decrease T-high by 0.5 - 1.0 sec, to a min of 3.0

YES ↓

Begin "Drop and Spread" Weaning when:
1. FiO_2 is 50% or lower
2. P-low has been weaned to 0
3. pH is > 7.24
4. Patient is breathing spontaneously

Lower P-high for SpO_2 88-94%

Increase T-high for pH > 7.24 and $PaCO_2$ < 60

PATIENT DETERIORATES

P-high 12 and T-high is > 9 sec
FiO_2 < 50%

Daily Spontaneous Breathing Trial
PSV with PS 7, CPAP 5

FAIL

PASS

EXTUBATE

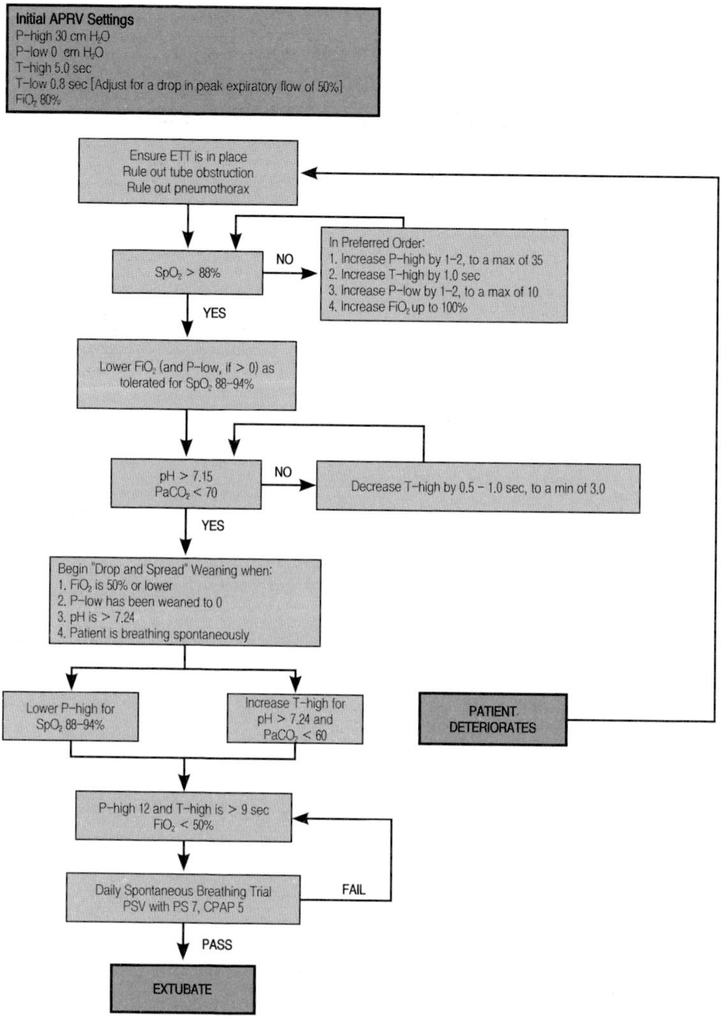

Notes:

In cases of morbid obesity or abdominal compartment syndrome, increasing the P-high to a max of 40 may be necessary

Hypotension that occurs after starting APRV is often due to hypovolemia-make sure the patient has an adequate intravascular volume

복와위자세(prone position) 점검사항

복와위자세(prone position)의 적응증

다음과 같은 특징을 가진 저산소성 호흡부전 :

- 높은 PEEP 또는 APRV에도 불구하고 PaO_2/FiO_2 ratio <150
- 미만양측폐침윤(diffuse bilateral lung infiltrates)
- CT상 배측경화(dorsal consolidation; CT촬영이 가능한 경우)

복와위자세(prone position)의 금기사항

- ICU 의료진에 대한 병원체 노출의 금지적 위험이 있는 경우(prohibitive risk of pathogen exposure to ICU staff)
- 불안정한 경추(unstable cervical spine)
- 중증 장골골절(long bone fractures)
- 복와위자세를 하기 어려운 해부학적 또는 치료적인 고려사항이 있는 경우

최소 필요 인원

기도 및 인공호흡기를 조절하는 호흡치료사 1명

4명의 돌리는 인력(RN, MD, PCT, RRT 또는 학생일 수 있음)

복와위자세 그 자체에 참여하지 않는 감독자 1명

회전과정(Turning Process)

A. 환자 준비

- 눈에 윤활제를 바르고 감은 눈꺼풀을 테이프로 고정
- 환자의 머리나 목에서 보석류를 제거
- 재갈(Bite blocks)들은 제거
- 필요한 진통제/진정제/신경근육차단제를 주사(bolus)
- SpO_2 및 E_TCO_2 모니터가 제자리에 있고 작동하는지 확인

B. 의료진 배치

- 환자 양쪽에 두개조로 돌리는 인력(총 4명)
- 머리, 기도 및 안면베개를 관리하는 환자 머리 쪽에 호흡치료사
- 가능하면 한 사람이 인공호흡기 튜브를 관리하고 백업을 제공
- 환자 다리쪽에 있는 감독자

C. 환자에게 패드를 댄다(앙와위에서 복와위로 회전 시키는 경우)

- 폼안면베개(foam face pillow)를 준비하고, 기관내관이 꼬이지 않았는지 확인한다(폼 패딩의 일부를 잘라내야 할 수도 있음).
- 가슴, 하부 골반 및 정강이에 각각 베개 2개
- 환자 위에 시트를 놓고(머리에서 발끝까지) 편안하게 감싸서 베개를 환자에게 묶는다.

D. 연결 해제

- 중심정맥라인(필요한 주사를 bolus 후)
- 동맥라인
- 혈액투석라인
- 심장모니터선

E. 환자를 돌린다. 감독자는 각 단계마다 구두 확인하고 이와 함께 팀원이 이를 복창해야 한다.

1. 감독자는 기도 및 인공호흡기 튜브가 호흡치료사에 의해 조절되고 있는지 확인한다.
2. 감독자는 모든 라인과 연결선이 분리되었는지 확인한다(회전과정을 방해하지 않는 한 SpO_2 및 E_TCO_2 모니터는 그대로 둘 수 있음).
3. 감독자의 카운트에 따라서 회전팀은 환자를 왼쪽으로 돌려 베개를 시트를 사용하여 몸에 단단히 고정한다.
4. 감독자가 재배치(repositioned) 할 필요가 없음을 확인한다.
5. 감독자의 카운트에 따라서 회전팀은 환자를 복와위 또는 앙와위 위치로 전환하여 베개와 안면패드가 올바른 위치에 있는지 확인한다.
6. 호흡치료사는 기관 내 튜브가 적절한 깊이에 있고 튜브가 막히지 않았는지 적절한 E_TCO_2 파형을 관찰 감독자에게 보고한다.
7. 복와위인 경우, 돌리는 의료인력은 환자가 적절하게 패딩되어 있고 팔과 다리가 편안하게 배치되어 있는지 감독자

에게 보고한다.

8. 앙와위인 경우 돌리는 의료인력은 패딩을 제거한다.
9. 심장모니터선, 동맥라인을 다시 연결하고 주입을 다시 시작한다.

복와위자세는 16시간 동안 유지한 후 앙와위자세로 8시간 유지해야 한다. 눈과 구강 관리가 필수적이다. 튜브가 유문후(post-pyloric)에 있는 경우 복와위자세에서 경관영양공급(tube feeding)을 진행하는 것을 허용한다. 그렇지 않으면, 복와위상태에서는 경관영양공급을 중지하고 앙와위상태에서 영양공급 속도를 높인다.

유용한 지식이 포함된 부록

(전문의 시험 또는 ICU회진 시 필요하고 실제 환자에서도 가끔 필요하다!)

Alveolar Gas Equation

$P_AO_2 = [(P_B - P_{H_2O}) \times FiO_2] - (PaCO_2 / RQ)$

Simplified: $P_AO_2 = 713(FiO_2) - 1.2(PaCO_2)$

Oxygen Content Equation

$CaO_2 = 1.34(Hgb)(SaO_2) + 0.003(PaO_2)$

Normal CaO_2: 20 mL O_2/dL blood

Oxygen Delivery Equation

$DO_2 = CaO_2 \times C.O. \times 10$

(C.O. = cardiac output in L/min)

Normal DO_2: 1,000 mL O_2/min

Oxygen Consumption Equation

$VO_2 = (CaO_2 - CvO_2) \times C.O. \times 10$
(CvO_2는 폐동맥카테터에서 채취한 혼합정맥혈의 산소함유량이다.)

Normal VO_2: 250 mL O_2/min

Oxygen Extraction Ratio

$O_2ER = VO_2/DO_2$
Simplified: $O_2ER = (SaO_2 - SvO_2)/(SaO_2)$

Normal O_2ER is 25%

Pulmonary Shunt Equation

$(CcO_2 - CaO_2)/\ (CcO_2 - CvO_2)$
CcO_2는 폐모세혈관혈액의 산소함유량(oxygen content)이다. 이것은 측정할 수 없기 때문에 산소포화도를 100%로 가정하고

PAO_2는 폐포가스방정식(alveolar gas equation)으로 추정한다.
정상폐단락: 3% 미만

P/F Ratio

P/F 비율

PaO_2/FiO_2, FiO_2는 소수점으로 표현된다(예: 50% 산소는 0.50으로 표시).

정상 P/F 비율은 500 이상이다.

P/F 비율 <200이면 보통 20%를 초과하는 단락률을 나타내며, 이는 환자가 여전히 기계환기가 필요한 상태라는 것을 의미한다.

참고문헌

1. Joseph E. Parrillo and R. Phillip Dellinger (eds). Critical Care Medicine: Principles of Diagnosis and Management in the Adult. Mosby, 2004: 705.
2. Treacher DF, Leach RM. Oxygen transport—1. Basic principles. BMJ 1998; 317:1302-1306.
3. "Principles of pulse oximetry." Anaesthesia UK. 11 Sep 2004. Web address: http://www.frca.co.uk/article.aspx?articleid=332
4. The ARDS Network. Ventilation with lower tidal volumes as compared with traditional tidal volumes for acute lung injury and the acute respiratory distress syndrome. N Engl J Med. 2000; 324:1301-1308.
5. Gajic O, et al. Ventilator-associated lung injury in patients without acute lung injury at the onset of mechanical ventilation.

Crit Care Med. 2004; 32:1817–1824.

6. Frank JA, Matthay MA. Science review: mechanisms of ventilator-induced injury. Crit Care. 2003; 7:233–241.
7. Amato MB, Meade MO, Slutsky AS, Brochard L, Costa EL, Schoenfeld DA, Stewart TE, Briel M, Talmor D, Mercat A, et al. Driving pressure and survival in the acute respiratory distress syndrome. N Engl J Med. 2015;372(8):747–55.
8. Esteban A, Frutos F, Tobin MJ, et al. A comparison of four methods of weaning patients from mechanical ventilation. N Engl J Med. 1995; 332:345–50.
9. Brower, RG, Lanken PN, MacIntyre N, et al. Higher versus lower positive end expiratory pressures in patients with the acute respiratory distress syndrome. N Engl J Med. 2004; 351:327-336.
10. Gattinoni L, Carlesso E, Brazzi L, et al. Friday night ventilation: a safety starting tool kit for mechanically ventilated patients. Minerva Anestesiol 2014; 80:1046–1057.
11. ART Investigators. Effect of Lung Recruitment and Titrated Positive End-Expiratory Pressure (PEEP) vs Low PEEP on Mortality in Patients With Acute Respiratory Distress Syndrome. JAMA. 2017;318(14):1335-1345.
12. Georgopoulos D, Giannouli E, Patakas D. Effects of extrinsic positive end-expiratory pressure on mechanically ventilated patients with chronic obstructive pulmonary disease and dynamic

hyperinflation. Intensive Care Med. 1993; 19(4):197- 203.

13. Chang KPW, Stewart TE, Mehta S. High frequency ventilation for adults with ARDS. Chest. 2007; 131:1907-1916.
14. Fessler HE, Derdak S, Ferguson ND, et al. A protocol for high frequency oscillation in adults: results from a round table discussion. Crit Care Med. 2007; 35:1649–1654.
15. Ferguson ND, Cook DJ, Guyatt GH, et al. High-frequencyoscillation in early acute respiratory distress syndrome. N Engl J Med 2013; 368: 795-805.
16. Young D, Lamb SE, Shah S, et al. High-frequency oscillation for acute respiratory distress syndrome. N Engl J Med 2013; 368: 806-813.
17. Habashi NM. Other approaches to open lung ventilation: airway pressure release ventilation. Crit Care Med. 2005; 33:S228-S240.
18. Boles JM, Bion J, Connors A, et al. Weaning from mechanical ventilation. Eur Respir J. 2007; 29:1033-1056.
19. Coplin WM, Pierson DJ, Cooley KD, et al. Implications of extubation delay in brain-injured patients meeting standard weaning criteria. Am J Respir Crit Care Med. 2000; 161:1530–1536.
20. Jones DP, Byrne P, Morgan C, et al. Positive end-expiratory pressure versus T-piece. Extubation after mechanical ventilation. Chest. 1991; 100:1655–1659.

21. Matic I, Majeric-Kogler V. Comparison of pressure support and T-tube weaning from mechanical ventilation: randomized prospective study. Croat Med J. 2004; 45:162–166.

22. Esteban A, Anzueto A, Frutos F, et al. Mechanical Ventilation International Study Group. Characteristics and outcomes in adult patients receiving mechanical ventilation: a 28-day international study. JAMA. 2002; 287:345–355.

23. Yang KL, Tobin MJ. A prospective study of indexes predicting the outcome of trials of weaning from mechanical ventilation. N Engl J Med. 1991; 324:1445–1450.

24. Rumbak MJ, Newton M, Truncale T, et al. A prospective, randomized, study comparing early percutaneous dilational tracheotomy to prolonged translaryngeal intubation (delayed tracheotomy) in critically ill medical patients. Crit Care Med. 2004; 32:1689–1694.

25. Terragni PP, Antonelli M, Fumagalli R, et al. Early vs. late tracheotomy for prevention of pneumonia in mechanically ventilated adult ICU patients. JAMA. 2010; 303:1483-1489.

감사의 글

제가 중환자실에서 가르치는 전임의, 레지던트, 간호사, 의대생들에게 이 책을 쓰게 되어 감격스럽습니다. 제 목표는 제가 대단히 흥미롭다고 느낀 주제들에 대해 이들이 잘 이해할 수 있도록 가이드를 제공하는 것이었습니다.

내 아내 Lorien은 세 권의 책을 쓰는 동안 내 곁에 있었습니다. 그녀는 나의 편집자, 나의 그래픽 디자이너, 나의 소셜 미디어 엔지니어, 그리고 내 인생의 사랑입니다.

임상의학의 최신지견을 따라잡는 것은 항상 어려운 일이며, 제가 계속 제 자신의 지식을 날카롭게 하는 가장 좋은 방법은 중환자와 부상자를 돌보는 데 열정을 공유하는 훌륭한 사람들과 함께 하는 것임을 알게 되었습니다. 저의 좋은 친구이자 동료인 RRT인 David Dunlap은 환자에게 도움이 된다면 항상 새로운 것을 시도할 준비가 되어 있습니다. 우리는 수년 동안 함께 일해 왔고 나는 이것 때문에 내가 더 좋은 의사가 되었다는 것을 압니다.

이 책의 초판에서 저는 부모님이신 Ben과 Patricia Owens로부터 받은 사랑과 가르침 덕분에 제가 했던 모든 것이 가능하다고 말했습니다. 그리고 이것은 언제나 변함없는 사실입니다.

저자에 대하여

William Owens, MD는 미국 South Carolina주 Columbia의 3차 병원인 Palmetto Health Richland의 내과 중환자 실장을 맡고 있다. 그는 또한 Palmetto Health-USC Medical Group의 호흡기, 중환자, 수면의학과장이자 South Carolina University의 임상의학 부교수도 맡고 있다. 피츠버그 의과대학 교수도 역임한 바 있다.

Dr. Owens는 The Citadel and the University of South Carolina School of Medicine을 졸업했다. 그는 LA의 Baton Rouge에 있는 Earl K. Long Medical Center에서 응급의학 수련을 받았다. 그는 또한 Florida주 Tampa에 있는 University of South Florida in Critical Care Medicine에서 전임의를 마쳤다. 응급의학과, 중환자의학과, 신경외과중환자 전문의이며 지역 및 전 미국학회에서 강의하였고 또 전문의학저널에 논문을 발표하였다.

Dr. Owens는 그의 경력 내내 활동적인 임상의와 교육자였다. 그는 중증질환과 부상 환자들을 돌보는 가운데 의사, 간호사, 호흡치료사를 훈련시키는 것을 즐기며, 중환자치료에서 총체적인 접근법(holistic approach)을 굳게 믿고 있다. 그는 생리학을 합리적으로 적용하고 있으나 가정(assumptions)에 대해서는 항상 의심을 품고 있다.

Dr. Owens는 부인과 자유분방하게 크고 있는 세명의 아이들과 함께 South Carolina주 Columbia에 살고 있다. 그는 또한 세인트버나드 종의 개와 6만 마리 정도의 벌과 함께 살고 있다. 또한 산악자전거 타기, 카약 급류타기, 라크로스 하기, 가족모험 등도 즐기며 살고 있다.

역자 후기

2020년 2월초 미국 오하이오주 콜럼버스의 한미용실에서

한인미용사: 한국에서 들려오는 코로나 소식이 심각한데 미국에 코로나가 오면 어떨까 심히 걱정됩니다. 쌀과 김치 등 비상식품을 미리 준비해야 되지 않을까요?

역자: 허허, 글쎄요. 설마 여기까지 그렇게 되겠어요? 한국이 힘든데 이렇게 나와 있어 미안한 마음입니다… 이런 대화를 나누며 나의 미국에서의 처음이자 마지막 이발을 마쳤다.

3월이 지나가면서 진정기미를 보이고 있는 한국과는 대조적으로 미국에는 COVID-19 환자가 폭발적으로 증가하였고 급기야 "재택명령"이 떨어졌다. 오하이오주립대학병원에서 연수 중이던 역자는 집에 머물며 병원에서 보내오는 이메일과 TV, 인터넷을 통해 소식을 듣는 수밖에 없었다. 곧 이어 비상식량 등 사재기 소동이 벌어졌고 마트에 들어갈 때도 줄을 서서 입장해야 했다. 또한 COVID-19로 인해 LA에 살고 계셨던 지인과 그 분 장모님의 사망 그리고 부인은 ARDS의 합병증에 의한 폐섬유화로 폐이식 대기 중이라는 소식이 들려왔을 때(이식 대기 중 결국 사망함) 같은 이방인 입장인 나에게는

COVID-19는 현실적인 두려움으로 다가왔다. 금방 끝날 것 같았던 재택명령이 계속 연장되면서 식료품이 떨어지면 2주에 한 번 정도 마트에 가서 식료품을 사오는 것 이외에 24시간 집안에 갇혀 지내는 것은 고역이였다. 그러던 중 뉴욕에서 환자들이 많아지면서 중환자들도 늘어났고 인공호흡기가 부족하다는 소식과 함께 내 귀를 스치는 뉴스가 있었다. COVID-19 환자들을 치료하는데 의사들도 부족하지만 더 큰 문제는 인공호흡기 사용 경험이 부족하여 책을 보며 기계환기 치료를 하고 있다는 것이였다. 그래서 재택명령으로 여유가 있으니 미국의사들이 많이 보는 인공호흡기책을 우리나라 선생님들에게 소개해 보면 좋겠다는 생각이 들었고 아마존에서 호흡기학 분야의 #1 베스트셀러인 Dr. William Owens의 'Ventilator Book'을 발견하게 되었다.

역자후기를 쓰고 있는 현재 수도권을 중심으로 COVID-19 환자가 다시 급격히 늘어 3차확산이 시작되고 중환자가 늘어나는 상황이어서 기계환기치료가 필요한 환자들도 많아지지는 않을까 심히 우려된다. 어서 속히 효과적인 백신접종과 효율적인 치료가 이루어져 인류가 COVID-19의 고통으로부터 해방되기를 기도한다. 끝으로 폐쇄된 미용실을 대신하여 유투브에서 배운 솜씨로 내 머리를 잘라주고 또 어려운 가택연금(?)을 함께한 동지이자 사랑하는 아내에게 진심으로 고마움을 전하고 싶다.

아무쪼록 학생, 전공의, 중환자실근무자들이 이 책을 통해 기계환기 치료의 실제를 쉽게 익혀서 호흡부전으로 중환자실에서 고통받고 있는 환자들에게 최선의 치료를 할 수 있는 경험과 실력을 갖추게 된다면 더 바랄 것이 없겠다.

2020년 12월

박 명 재